In mei 1983 verscheen het eerste nummer van de
Nederlandse edit

Playboy. In de 20 j
bekende mannen en
onder wie ook vel
auteurs. In deze bun
uit twee decennia *Playboy* verzameld. Verhalen
van onder meer Gerard Reve, Hugo Claus, Remco
Campert, Kristien Hemmerechts, Joost
Zwagerman, Thomas Rosenboom, Jessica
Durlacher, Oscar van den Boogaard, Hermine
Landvreugd, Herman Brusselmans, Helga
Ruebsamen en anderen.
Veel van deze verhalen verschijnen nu voor de
eerste keer in boekvorm, wat *De beste Nederlandse
verhalen uit 20 jaar Playboy* eens te meer tot een
unieke bundel maakt.

Gerard Reve e.a.

De beste Nederlandse verhalen uit 20 jaar Playboy

Rainbow Pocketboeken

Rainbow Pocketboeken® worden uitgegeven door
Uitgeverij Maarten Muntinga bv, Amsterdam

www.rainbow.nl

Een uitgave in samenwerking met Sanoma Uitgevers bv,
Hoofddorp

www.playboy.nl

Omslagontwerp: Joost Overbeek
Zetwerk: Stand By, Nieuwegein
Druk: Bercker, Kevelaer
Uitgave in Rainbow Pocketboeken mei 2003

ISBN 90 417 0426 4 NUR 311

Inhoud

VOORWOORD

Twintig jaargangen *Playboy*. Dat betekent vele honderden pagina's literatuur. Van korte verhalen tot reisreportages en van erotische ontboezemingen tot fragmenten uit nieuw te verschijnen werk. Geschreven door zo'n beetje iedere schrijver van naam uit Nederland en zeker ook Vlaanderen. Bijna iedereen die er in de afgelopen twee decennia in literair Nederland toe deed, heeft wel eens zijn of haar opwachting in *Playboy* gemaakt. Het voert te ver ze allen bij naam te noemen, maar het zijn er vele tientallen geweest. Stel: we zouden ze, zoals *Playboy*-oprichter Hugh Hefner ooit deed met zijn Amerikaanse auteurs, bijeen hebben gebracht voor een fotosessie op een schrijverscongres. Dat had een mooi plaatje opgeleverd van een illuster letterkundig gezelschap met coryfeeën en oudgedienden als Gerard Reve, Hugo Claus, Remco Campert, Johnny van Doorn en Jean-Paul Franssens. En ook hun opvolgers en de nieuwe talenten die in de jaren tachtig en negentig hun entree in de letteren maakten zoals Joost Zwagerman, Arnon Grunberg, Kristien Hemmerechts, Hermine Landvreugd, Thomas Rosenboom, Oscar van den Boogaard, Manon Uphoff en Karel Glastra van Loon. En er zouden ereplaatsen zijn ingeruimd voor Herman Brusselmans, Leon de Winter en Jessica Durlacher. Zo'n foto is helaas nooit gemaakt. Maar hier hebben we wel een bloemlezing van hun werk voor *Playboy*. Wij wensen u veel leesplezier.

Redactie *Playboy*

De wijze Kater

Raadgevingen aan Renate R.

GERARD REVE

La Grâce, 14 Februari 1983.

Lieve Renate,

Al enige tijd volg ik een bepaald systeem, dat tot nu toe zeer goed heeft gewerkt. Zoals je bekend moet zijn, wordt het leven steeds duurder, en niet goedkoper. Vooral de prijzen van levensmiddelen, kleding en schoeisel zijn met sprongen omhoog gegaan, mede door de bilaterale bundeling en de welvaart.

Vaak vraagt een blad mij om een vraaggesprek, maar als ik voor mijn medewerking een passende vergoeding vraag (in Belgiëland en in Frankrijk heel normaal), dan gaat het feest meestal niet door. Gaat het wèl door, dan smeek ik de journalist, mij zo spoedig mogelijk het desbetreffende nummer (met daarin het vraaggesprek) toe te sturen, maar ik gooi dat altijd ongelezen, met banderolle en al, in de vuilnisbak. Zo ook heb ik het vraaggesprek met mij in *Het Parool* niet gelezen. Evenmin het hoofdredactionele stukje van enkele dagen later, geschreven door karpathenkop Gortzak: wèl heb ik mij de inhoud daarvan door een ander zakelijk laten opsommen.

Genoemd systeem is de sleutel tot mijn uitstekende volksgezondheid. Ik word D.V. in December 60 jaar, maar wat een prachtige kop met haar! Daar kunnen de jongeren een voorbeeld aan nemen.

Ik ben op aandrang van derden op de Verrekijk verschenen, maar had dat beter kunnen nalaten. Echt aan het woord gelaten word je in Hilversum niet meer. De vragen zijn partijdig en insinuerend. Toch heb ik daarna nog 128 brieven ontvangen, waarvan slechts één negatief. Ik weet mij geborgen in eigen volk.

(In veel kranten kom ik het woord *vooruitstrevend* tegen. Wat betekent dat woord?)

Ben ik een racist, en een fascist? Terwijl ik tegen de Jodenvervolging in de Sowjet-Unie protesteer? Of betekenen de woorden *racist* en *fascist:* 'iemand die het op *schaamteloze* wijze met ons oneens is'? Ik weet niet, wat drs. Gortzak vindt, maar voor alle zekerheid ben ik het geheel met hem oneens. Ik geef hier mijn volksgezondheid voorrang: gezondheid is de grootste schat.

Die troep bij *Het Parool,* dat zijn allemaal Atheïsten. Atheïsme en morele ontworteling gaan hand in hand.

In mijn veelgelezen boeken, en soms ook in mijn mondeling openbaar optreden, raak ik het onbewuste van de mensen aan. Ik vertel hun – wat ze onbewust allang weten – dat demonstreren tegen Israël en het Zionisme niets anders dan een 'nette' uitlaat voor hun antisemitisme is. Weinig mensen vinden het leuk, als hun een spiegel voorgehouden wordt.

Ik vind die Boudewijn Büch en die Wouter Gortzak een beetje tragiese figuren. Ik ben ook tragies, maar ik maak er bij wijze van spreken muziek bij. Hoor je mij ooit klagen? Die twee zijn *klachtneurotici.*

Ben jij nu ook bezig, rooms-katholiek te worden? Een erg mooie religie. Behalve de R.K. leer heb je alleen nog de filosofie van Schopenhauer nodig, om te snappen hoe de boel in elkaar zit. Wist je, dat W. F. Hermans bezig is, katholiek te worden? Het zat er in: ik bedoel, dat het er vroeg of laat van moest komen.

Ik heb een gehele oorlog medegemaakt, en in ons Indië onder Harer Majesteits vaandel gestreden. Dat zet een stempel op iemand zijn gevoelsleven.

We zijn dit weekeinde ingesneeuwd. Toch ging ik (te voet) door de 55 cm hoge sneeuw naar de Mis. We waren daar met ons drieën. Omdat de (gigantiese) H. Hart Kerk met geen mogelijkheid te verwarmen is, celebreert onze regenmaker de Mis des winters in de woonkeuken van de pastorie. Na afloop kregen we van hem elk van ons drieën een glaasje *crème de cassis* (likeur van zwarte bessen).

Ik moet nog drie hoofdstukken van *Wolf* schrijven. Bij het schrijven leef ik intens mede met alles, wat er in het boek gebeurt. Ik ben, geloof ik, een *geëngageerd* auteur.

Schrijf jij wel eens gedichten? Ik wel, en soms zijn ze erg mooi. Ik stuur ze niet op, want de kans is groot, dat ze zonder vergoeding worden afgedrukt.

Ik slaap gelukkig heel goed. Maar ja, ik lees dan ook vrijwel niets, behalve de Schrift en een stuk of wat handboeken. *The Primitive Mind and Modern Civilisation,* door Aldrich, uitg. Kegan Paul, London, 1931, is een waarlijk profeties boek.

Zoude die Gortzak ooit wel eens een boek van mij gelezen hebben? Ik denk, dat hij erg anti-katholiek is. Hij heeft een gevoelige maag, naar de uitdrukking van zijn gezicht te oordelen. Hij drinkt niet, maar hij heeft af en toe aanvallen van snoepzucht. Astrologies is hij een typies probleemkind. (Slecht geaspekteerde *Maan,* en een sterk geafflikteerde *Neptunus.*)

Resumerend: houd goede moed! Na al die herrie is de verkoop van mijn boeken enorm gestegen.

Ik heb schitterende ideeën over een nieuwe religieuze cultus.

Maar eerst moet *Wolf* af.
Heel veel liefs van je

Gerard.

24 februari 1983.

Lieve Renate,

Veel dank voor je brief van de 20ste. Ik kan op het ogenblik het beantwoorden van post niet op de gebruikelijke voet volhouden. De rel over mijn (deels vermeende) staatkundige opvattingen is een typies produkt van de Nederlandse leegte en verveling, plus waarschijnlijk een flinke dosis bewuste of onbewuste afgunst. (Het bezit van talent wordt je in het Vaderland terdege ingepeperd.) Ik heb die zaak nooit ernstig opgevat, maar toch ben ik er een volle maand door achterop geraakt met mijn letterkundige arbeid. Niettemin hoop ik *Wolf* vóór medio Maart, althans in kladschrift, te voltooien.

Het door jou gehuurde huis van Nol Westendorp is zeer poëties gelegen, en doelmatiger ingedeeld dan de meeste tot tweede huis verbouwde boerderijen. Het ligt zeer goed beschut tegen de Noordwind. Naar menselijke berekening zijn wij in Mei hier, en kunnen je alsdan ter verstrooiing bezoeken of verkeerskundig ophalen. De afstand is 5 of 6 kilometer.

Ik heb geen ziekte, behalve een prostaatvergroting, die echter stationair blijft en geen operatie vergt. Als ik niets eet of drink dat blaas of urinewegen prikkelt, pis ik zo goed als normaal. Verder wat rheuma, en schizoïde schemertoestand. Ook geheimzinnige dromen. Ik doe van tijd tot tijd iets aan magie, met soms bevredigende resultaten.

Laat me weten, wie er wederom dood zijn, en stuur mij een kalendertje (1983), waarop ik kan zien wanneer of dat het Pasen is.

Van je ziekte weet ik veel af. (Verpleger in 1956/57, in het National Hospital For Nervous Diseases, Queen's Square, London.) Je kunt er stokoud mede worden, net als met de herenliefde. Maar daarover een volgende keer: die ziekte loopt niet weg.

Heb ik het ergens goed gelezen, dat je 'aan de liefde doet'?

Hoe zit dat? Wie doet het met een vieze oude vrouw van boven de dertig?

Matroos is erg épris van je, na je op het Muiderslot te hebben ontmoet. Hij heeft soms bizarre voorkeuren.

Intussen veel liefs van je

Gerard.

10 juni 1983.

Lieve Renate,

Zeer veel dank voor je hartelijke brief van 7 juni. Ik ben verheugd, dat *Wolf* je enige uren van onvervalst leesgenot heeft verschaft. Het enige, wat mij soms zorg blijft baren, is het lot van Remi, Bambi en Vos in Pauvranië.

Zouden ze het daar redden? Ik weet niet, of het publiek die bezorgdheid van mij deelt: de mensen zijn verhard, door de welvaart en door de voortschrijdende verruwing. In ieder geval zal *Wolf* een belangrijk deel van de arbeidersjeugd van de klassenstrijd afhouden.

Hoe het boek het doet, is nog niet af te lezen, ik bedoel hoevele eksemplaren hun weg naar evenzovele huiskamers, hoofden en harten zullen weten te vinden.

De voorverkoop is zeer hoog geweest: twaalf duizend eksemplaren. Het duurt daarna meestal zeer lang, voordat men aan de nabestellingen de mate van sukses kan aflezen. Normaliter zijn er binnen één maand na verschijnen nog geen nabestellingen, doch van *Wolf* thans reeds 1500.

Gelukkig ben ik officieel geen dichter, zoals Agterberg, Lucebert, Jany, of Comrij. Als je alleen maar dichter bent, kun je beter dood zijn. Poëzie is eigenlijk onzin, behalve als zij heel mooi is, zoals die van mij. Maar ik vertel aan niemand, dat ik dichter ben, of oudstrijder, of iets dergelijks.

Ja, Matroos is het goede soort jongen. Vroeger hield ik dat in zijn eigen belang voor hem geheim, doch thans zeg ik het hem onomwonden.

Ik wil wederom iets nieuws schrijven, dat rechtstreeks uit het hart komt.

Heb jij ooit iets gelezen van Willem(?) Brakman? Ik kom die naam telkens tegen, in artikelen waarin staat dat hij zo bescheiden is. Ik vind die kop, op de fotoos, nogal antipathiek.

Is die man tegen de orde en de autoriteiten, en predikt hij ontrouw in het huwelijk, en losbandigheid? Dan lees ik hem niet. Ook verdenk ik hem van Atheïsme, en van 'sympathie voor de jongeren'. Maar wat is precies zijn genre? Eenzaamheid, ziekte, Dood? Of is het 'opbouwend'?

(Laat mij weten, wie er wederom dood zijn.)

Matroos komt D.V. ongeveer midden volgende week terug.

Gezond ben ik niet, maar ik houd mij staande.

Als ik geen alkohol gebruik, kan ik mijn water des nachts ophouden. Verder ben ik in ernstige mate manies-depressief. Ik heb onze Andy om wat zielverruimende middelen geschreven. Jong, rijk, beroemd, jawel, maar waarom is het geluk mij onbekend?

Zit jij in de jury voor de Prijs van de Nederlandse Letteren?

Dan weet ik wel een kandidaat.

Later natuurlijk meer. Dit was een inzet.

Veel liefs van je

Gerard.

29 juni 1983.

Lieve Renate,

Veel dank voor je brief van 26 juni, zonder jaartal. Neen, natuurlijk ben ik niet kwaad: wie zoude er ooit lang achtereen boos kunnen blijven op Renate R.? Je brief echter is typografies slecht verzorgd, alsof je niet weet, dat men slechts één zijde van het papier behoort te beschrijven, en per brief slechts één onderwerp dient te behandelen.

Het copiëren van je brief biedt bezwaren: het zoude gaan, met al die kleine blaadjes, om 2 x 8 = 16 copieën. Copiëren is hier veel duurder dan in het Vaderland. Zestien copieën, dat tikt aan. Hadde je het papier eenzijdig gebruikt, dan hadden we je blaadjes, nog bij twee tegelijk op één te copiëren vel kunnen plakken, en aldus de aanzienlijke kosten kunnen halveren.

Doe voortaan het volgende: koop in de *Hema,* een uitstekend Joods warenhuis, kwarto enveloppen. (Dezelfde enveloppen als die ik gebruik, en in één waarvan je deze mijn brief ontvangt.) Verschaf jezelve voorts kwarto (21,7 x 27,7 cm) 65 grams schrijfpapier, liefst bankpost. (65 grams wil zeggen, dat 1 m² 65 gram weegt.) Als je nu in aanmerking neemt, dat een enveloppe zoals hier aanbevolen, minder dan 4 gram weegt, en elk kwarto vel eveneens heel iets minder dan dat, dan weegt een brief van 4 vel in één enveloppe in totaal tussen de 18 en 19 gram. Ik schrijf slechts bij hoge uitzondering een brief van meer dan vier vel. Men kan zich aldus zonder brievenweger redden, en het volle nut ondervinden van het basistarief der Posterijen.

Voorts moet je de pagina's met telkens bovenaan opnieuw vermelden van de geadresseerde (e.g.: Aan Renate R. (2) 25.6.1983) als het ware verbinden door op de voorafgaande pagina reeds het eerste woord van de volgende pagina op een aparte laatste regel te zetten, zoals je dat in oude boeken gedrukt ziet staan. Ook al is de nalatenschap door elkaar gegooid, het nageslacht kan er uit wijs, en er op promoveren.

Men krijgt ook meer achting voor je, de uitgevers bieden je veel hogere voorschotten, kortom: je wordt voor vol aangezien. Je hebt echter mensen, die bijvoorbeeld hun brievenbus heel laag in de deur hebben laten maken, om de postbode zich te laten bukken, en die er 'eenvoudig niet aan denken' een naambordje op de deur te hebben.

Ik stuur je dus je brief voorlopig terug, en sta je hem in korte bruikleen (30 dagen zicht) af, daarbij uitdrukkelijk stellend, dat hij mijn eigendom blijft. (Postwet 1884.)

Ik heb de indruk, dat je je intelligentie slechts zeer ten dele benut. Je horoscoop vergemakkelijkt je in niet geringe mate het kontakt met mensen, maar een greep op het geheel vermag je niet te verkrijgen. Je hebt een scherp oog voor anekdote en motief, maar het thema ontgaat je. Zo betwijfel ik, of het thema van mijn werk je duidelijk is en zelfs, of je begrijpt, wat voor soort mens en voor soort schrijver ik ben. Dat komt door een ongehoord sterke, maar geafflikteerde bezetting van je teken Virgo. Virgo is: scherpe ontleding doch daarbij, helaas, verbrokkeling. Het zijn mensen die slechts bepaalde, samenstellende delen kunnen zien, maar zelden het geheel. Ze zien een hond: dat die bijt, of gevlekt is, of aan die en die toebehoort, maar ze zien nooit wat die hond, boom, etc. *betekent.* Beschrijving, waarneming, etc. etc., allemaal prima, maar nooit: duiding. Ze zijn in hoge mate *symboolblind.* Al die kaartjes, fiches, snippers, blokjes etc. op hun tafel geven aan deze mensen een gevoel van rijkdom en zelfs van macht. Ze 'kennen toch iedereen'? Het beste kun je zulke mensen in hun waan laten. Het zoude een gehele schrik voor hen zijn, als ze ontdekten dat ze eigenlijk niets en niemand kennen. Ze zijn stellig nuttig, om korte stukjes te schrijven. (Ook in de natuur bestaan er, strikt gesproken, geen onnutte dieren.) Het is zo door God besteld, dat jij bestaat, dus moet dat wel goed zijn. Het menselijk verstand schiet hier te kort.

(Voordat ik het vergeet: wil jij mij op gezette tijden laten weten, wie er wederom dood zijn?)

Het is jammer, dat over een half uur reeds de post weggaat. Zo deze brief de lichting mist, dan wordt het wederom een dag later, en ik weet, hoe verlangend je naar een brief van mij uitziet.

Als ik niet reeds *Gerard R.* heette, dan zoude ik *Renate R.* willen heten. (Maar ook alleen dàn.)

Wolf wordt in de pers uitzonderlijk ongunstig besproken, maar door mijn Geliefd Publiek zeer goed, zelfs met een 'stormachtige geestdrift' ontvangen. Doch ik ben reeds met de notities en het 'sfeeronderzoek' bezig voor een geheel nieuw werk van letterkunde. ('Een vrouw mag niet stilzitten.')

Intussen heel veel liefs van je

Gerard.

12 augustus 1983

Lieve Renate,

Jongstleden zondag ontmoetten wij op de maandelijkse rommelmarkt in Valence de Nederlandse muziekcomponist Peter S., die natuurlijk meteen inhaakte op de door zijn medestanders tegen mij ontketende staatkundige hetze. Ik zeide hem, dat ik mij hiervoor zeer tot mijn spijt niet interesseerde. Hij veranderde toen van onderwerp, en deelde mij mede, dat hij mijn epistolair (= briefschrijvend) vermogen zo bewonderde. Terloops vermeldde hij, dat jij hem brieven van mij (aan jou) te koop had aangeboden.

Ik heb je mijn brieven niet ter verhandeling gestuurd. Zend ze dus omgaand aan mij terug, dan ben ik wederom gerust.

(Ook ruilde jij brieven van mij – ik bedoel volgens Peter S. – tegen brieven van Presser, Roland Holst, Notenboom, etc. Wat koop ik daarvoor? Met dat doel schrijf ik niet: ik schrijf voor mijn Volk.)

Ik ben erg geschokt, en dacht eerst: zal ik over deze kwalijke praktijken een artikel naar een bepaald weekblad sturen? Maar daarmede heb ik al die onvervangbare geschriften niet terug!

Handel dus snel, en diskreet. Opspraak is schadelijk voor alle betrokkenen.

Veel liefs van je

Gerard.

De staat van liefde

HUGO CLAUS

Om vier uur 's ochtends belde Laura, '*Hi,* met mij.' De Atlantische Oceaan scheidde hen. Laura had niet eens de moeite genomen om het tijdsverschil van acht uur in de gaten te houden. En dat: 'met mij'! Zelfs als je grote liefde, je grootste, zich zo meldt, is het ergerlijk.

'Met mij ook,' zei hij.

'Marco?' zei zij aarzelend, kinderlijk.

'Laura?' vroeg hij en zij merkte dat hij haar toon imiteerde en knorde. Zelfs de grootste liefde kon niet beletten dat hij voor de vijftigste keer bedacht dat hij 's nachts de stop van zijn telefoon eruit moest trekken. Ook overdag. Om het kwartier wilde iemand iets van hem, hij zelf wilde niets van wie dan ook. Tenzij, hooguit, iets van Laura. Maar wat precies, kom daar eens achter.

Zij vroeg hoe laat het was in België en hij zei overdreven vermoeid: 'Ach, lieverd.'

Terwijl zij babbelde lag zij in San Pedro. In een satijnen zuurstokrode kamerjas. De panden glijden nu open. Haar heup, zacht als het satijn, heuvelt. Op het onberispelijk kortgemaaide gazon lopen amechtige joggers op leeftijd. Vier leptosome negers in glinsterende korte broeken rolschaatsen in een gelijke deining. In de branding molenwieken en vallen surfers.

Laura zei, vlak bij de telefoon met haar droge, hete, volle lippen: 'Je klinkt suf. Was je aan het slapen? Is er iemand bij je? Nee? Zeker weten? Ik hoor haar armbanden rinkelen. Wat doet zij met jou? Zal ik over een half uur terugbellen? Ben je dan klaargekomen? Of is zij lastig?' Zij stootte een jongensachtig opgewekt gehinnik uit.

In San Pedro regent het nooit. Zij ligt in een reusachtig bed met twaalf veelkleurige shantoengkussens. Zij heft haar voet, bewondert haar lange, geknakte tenen, waarvan de lila nagellak hier en daar afgebladderd is. Op de binnenkant van haar dijen zijn sporen van lipstick merkbaar. Zij slaat haar kamerjas verder open. Haar wijsvinger beweegt onachtzaam, vredig, in cirkeltjes.

'Ik ben helemaal alleen tegenwoordig. Jawel. Zeker weten. Nu ja, af en toe komt Julia logeren. En Pete is verdwenen. Hij zei dat ik niet bij hem paste. In bed dan. Wel om mee samen te wonen, naar een party te gaan, maar in bed vindt hij mij maar niks. Zoals jij, mijn engel. Toen is hij ineens weggebleven. Hij ging forellen vissen, zei hij, maar ik heb hem niet meer gezien. Jojo mist hem vreselijk. Jojo, mijn terriër, ik heb je er toch over verteld! Nu zit ik hier ganse dagen aan jou te denken. Nee, ik geloof dat ik mij in Pete heb vergist. Kan toch gebeuren.'

'Je hebt je ook in Luke vergist,' zei Marco log.

'En in Mike en in Nico, ik weet, ik weet het, engel.'

'Wie is Nico?'

'Die zo goed koning Boudewijn kon imiteren, je kent Nico toch nog, eitje? Wanneer kom je nou?'

'Was daar dan sprake van?'

'Natuurlijk. Altijd. Waarom kom je vandaag niet? O, engel, ik bel je zo terug. D'r komt net iemand binnen.'

'Wie dan?'

Zij gooide de hoorn neer.

De branding daar, zo helder, ijsschotsen die versplinteren, stoom.

Laura daar. Zij hoort iemand binnenkomen. Wie is het? Zij steekt met een pathetische, afwerende beweging haar hand naar voren. Het schurend geluid van laarzen met metalen tippen langs de parketvloer. In de deuropening staat Steve McQueen, ongeschoren, de wratten op zijn gezicht lijken aangestipt met nagellak, zijn ogen zijn spleetjes met donkergroen geverfde wimpers. Met een cigarillo in de mondhoek treedt Steve McQueen in de zonnige kamer met het immense bed dat volgestrooid ligt met jurken, slipjes, handdoeken. Hij glimlacht verlegen. Laura wenkt hem, maar hij is onwennig, hij wrijft de wreef van zijn laars op enkelhoogte tegen zijn jeans. Hij is sterk vermagerd, kanker aan de lever, de lever kan zich nooit herstellen.

Marco sloeg een paar keer naar de mug die steeds opnieuw naar zijn bezweet gezicht dook. Hij trok de telefoonstop uit het contact, trok de lakens over zijn hoofd, maar na een tijdje nestelde de mug zich toch ergens in zijn haar.

In de vlieghaven moest hij meer dan een uur in de rij wachten tot hij voorbij de controle geraakte. Een douanehond snuffelde aan zijn kruis.

Buiten, in het laaiend licht, tussen de schreeuwende Portoricanen zat Laura zich koelte toe te waaien met een krant in een limousine met donkere ruiten. Zij hield de deur van de limousine voor hem open. Zij had een blauw strohoedje op en zag er verschrikt en gehavend uit. Marco likte haar wang terwijl de chauffeur zijn koffertje in de bagageruimte gooide. 'O, engel, o, engel,' zei Laura vrolijk.

Tijdens de rit naar haar huis, zei zij dat Julia mee wou komen naar de vlieghaven maar dat ze dat had verhinderd want zij wou Marco voor haar alleen, alleen voor haar, zoals vroeger, zestien maanden geleden in Europa.

'Achttien maanden,' zei Marco. Het klonk verbitterd.

'Niet zeuren,' zei Laura en iets van vroeger, een fronsje tussen haar volmaakte wenkbrauwen, een miniem pruillipje was weer aanwezig, nu al, in het zoemende met dieprood fluweel beklede, glijdende salon. De wereld die voorbijgleed met pompstations en hemelhoge publiciteitspanden was vaalblauw. Niemand kon in het interieur van de auto kijken. Ook niet een wankel oud vrouwtje dat vlak bij de ruit kwam staan bij een stoplicht. Zij raakte de ruit bijna omdat zij schuin vooroverhelde onder het gewicht van een krant, dik als een telefoongids.

Met haar vertrouwde gratie van vroeger leunde Laura naar voor en zette de miniatuurtelevisie aan. Een dokter beet vertwijfeld in de muis van zijn hand en staarde naar een stervend platinablond meisje met borsten als meloenen. Laura vulde de twee glaasjes die op de tv stonden met haar zakfles wodka. Marco streelde haar rug, zij wendde zich naar hem toe. 'Jij,' zei zij. En iets later: 'Waarom heb je alleen maar zo'n onnozel koffertje meegenomen? Je denkt toch niet dat je volgende week al terug mag naar Europa? Ik laat je niet meer los. Ik ben erachter gekomen, jij bent het, jij alleen geloof ik. Alleen, engel...'

'Alleen wat?'

'Ik wil geen grote liefde.'

'Nee.'

'Daar begin ik niet meer aan.'

'Dat hoeft toch niet.'

'Nee?' vroeg Laura. 'Zeker weten?'

'Natuurlijk niet. Een grote liefde, kom nou. Hoe haal je 't in je hoofd? Nee, ik ga liever forellen vissen.'

'Kussen mag wel,' fluisterde zij en kuste hem met een wijdgesperde mond als om hem van een verdrinkingsdood te redden. Haar parfum was zoet en mengde zich met de geur van nat haar. De brede rug van de chauffeur bleef onwrikbaar, terwijl hij in zijn spiegeltje naar Marco keek met een onthechte blik.

Toen zij binnenkwamen in haar flat op de derde etage van een cilindervormig torengebouw dwarrelden grijze wollige pluisjes over de zwarte vinylvloer. Het meubilair was schel, gespikkeld, met scherpe hoeken. De jaren vijftig die terugkeerden. In de slaapkamer hing een foto van Garbo als koningin Christina van Zweden boven het brede bed met de twaalf kussens waar Pete, Nico, David, noem maar op, met haar rondgesparteld hadden.

'*Home, home,*' zei Laura laag, plofte op haar bed en schopte haar pumps uit. 'Kom.'

Marco kwam, zoals vroeger. Laura kwam niet, zoals vroeger.

Ongeveer twaalf minuten later volgde Laura een quiz op de televisie terwijl ze handen vol pinda's at. Marco vond in de badkamer een doodzieke terriër in zijn half kapotgekauwde mand. Het dier probeerde te blaffen maar bracht alleen een flauw gereutel voort, dat uit Marco's keel leek te komen. 'Hé, Jojo!' Marco aaide hem. Jojo toonde zijn gele tanden.

'Hij is aan het sterven,' zei Laura. 'Maar hij merkt er niets van. Hij zit onder de valium.'

De jolige quizmaster had te korte benen. Toen Marco het opmerkte zei Laura kauwend en zonder intonatie: 'Je moet niet beginnen zeuren.'

Midden in de nacht werd hij wakker door een rauwe, beestachtige schrei die van hemzelf kwam.

'Stil,' zei Laura.

'Wat?'

'Je snurkt.'

Zij zat rechtop, wodka in de hand. Op de televisie was, dwars door strepen en flitsen, een jumpingwedstrijd te zien. Laura had bloeddoorlopen, verwilderde ogen.

'Slaap nu maar,' zei zij. 'Je hebt jetlag.'

Hij lag tegen haar borst, de tepels waren opgericht, zij duwde zijn gezicht weg en stak haar wijsvinger in zijn mond.

'Kijk,' zei ze. 'Daar. Daar heb je haar. Julia.' Nu pas drong het tot hem door dat het de video was die aanstond. Het maakte hem kribbig, een kind van vier zag tegenwoordig het verschil tussen televisie en video.

Julia bereed een lome schimmel, zij stak haar kont ver achteruit. Zij leek naar een muntstuk in het zand te zoeken. Maar zij maakte weinig fouten.

'Nee, zij is niet van de elegantste,' zei Laura met dezelfde geamuseerde tederheid waarmee zij achttien maanden geleden over de rijke Amerikaan die haar zou schaken en meenemen naar de Nieuwe Wereld, zei: 'Hij heeft veel te korte en te kromme benen.'

'En dat vind jij natuurlijk prachtig,' had Marco gezegd. 'Bij niemand anders natuurlijk, maar bij hem wel. Omdat je in staat van liefde bent.'

'Je kunt het niet beter zeggen.'

'En wat ben je van plan?'

'Kan ik anders dan mijn grote liefde volgen?'

'Waarheen?'

'Naar San Pedro in Californië.'

'Wanneer?'

'Volgende week.'

'Wanneer volgende week?'

'Dinsdag. Ik wou morgen al weg, maar hij moet nog een en ander regelen in Genève.'

'Wat moet hij regelen?'

'O, effecten, diamanten, bauxiet.' Zij wou het afstandelijk zeggen, het klonk troebel en schools als een gedicht op de Belgische Radio Drie. Zij lachte. *'Diamonds are a girl's best friend,'* zei ze en Marco sloeg bevend en uit alle macht een biljartkeu van brons tussen de kromme beentjes van de Amerikaan, hij hoorde het kraken van het schaambeen.

'Ik kan er niets aan doen, engeltje,' zei Laura. 'Dat moet jij toch begrijpen, je kent me door en door.'

'Natuurlijk,' had Marco gezegd. Natuurlijk had hij 'natuurlijk' gezegd en had hij de bebloede biljartkeu weggegooid. In zee. Of boven op een kast gelegd.

Omdat zij geen geld had, liet ze taco's en soep en wodka brengen van de *delicatessen* om de hoek.

Meestal bleef zij in bed. Af en toe graaide zij met een zelfde beslist gebaartje haar handtas van onder de kleurige kussens en stapte ermee naar de badkamer en steevast als zij terugkwam glimlachte zij naar Marco en aaide over zijn gulp en kwebbelde honderduit. Vooral over haar vader die de mooiste, de liefste man van de wereld was, maar ook de saaiste.

'Hij heeft niks te vertellen. Net als ik. Ik heb ook niets aan niemand te vertellen.'

Marco zat op een witte plastic stoel die geklemd bleef tussen de deur en de bloembakken van het uiterst smalle terrasje. Hij moest zijn knieën optrekken, zijn naakte voetzolen tegen de hete ribbels van de reling. Zon over San Pedro.

Als er een aardbeving kwam zou de smak naar beneden, als hij de kans kreeg om de val enigszins te richten, hem hooguit een paar gebroken enkels opleveren.

Als de Bom zou vallen, laat ons zeggen in San Fernando, dan zou hij smelten, in een gesis oplossen. De telefoon ging. Marco wandelde naar de badkamer en klopte.

'Nee,' schreeuwde Laura. 'Ga weg. Ben je gek geworden. Weg!'

Na tien minuten kwam zij bij het terrasje, wijdogig, met het scheve lachje.

'Wat wou je, engel van mij? Wou je mij onder de douche zien?'

'Ik kwam je halen.'

'Waarvoor?'

'De telefoon ging.'

Haar gezicht vertrok. 'En je hebt niet opgenomen?'

'Doe ik nooit als ik logeer bij vroegere grote liefdes.'

'Maar het was Julia, klootzak!' riep zij wanhopig.

'Ik geloof van niet.'

'Hoe kan je dat weten? Heb je toch opgenomen?'

'Nee. *Never.* Maar de kwaliteit van de schel liet te wensen over. Er was niet de minste wellust te bespeuren in het geklingel.'

Ineens glansde haar gezicht van de tranen. Zij wendde haar (in achttien maanden breder geworden) achterwerk in de satijnen kamerjas naar hem toe.

De tranen bleven vloeien tot zij, met één dooraderd

oog boven haar verfrommelde en platgedrukte wang tegen een kussen naar een nieuwe tv-quiz keek waarin de kostprijs van bepaalde huishoudelijke voorwerpen moest geraden worden. Laura snauwde naar de quizmaster, juichte, vloekte en viel toen in slaap. Lichtjes knarsetandend.

Een taxichauffeur raadde alles goed en won een reis naar Paris-France. Hij stootte een indianengehuil uit, zijn vrouw viel flauw, het scherm wemelde van uitzinnige verwanten terwijl Laura droomde, want af en toe schoot een nerveus schokje door haar glimmend gezicht en stootte zij een klaaglijk gepiep uit. Van wie droomde zij? Niet van Marco uiteraard, hij was binnen handbereik, te horen, te zien, te betasten.

'Wie?' vroeg Marco zachtjes, vlak bij haar delicaat gevormd oor waarover het latwerk van de jaloezie een paar streepjes licht doorliet.

''n Afspraak,' zei Laura. Als een antwoord op een absurde vraag. Zij draaide zich om, weg van Marco's hinderlijke fluistering.

De lange gestalte van Steve McQueen nadert en nestelt zich onwaarschijnlijk soepel in de sofa tegenover het bed. Hij zuigt op een iel sigaartje waar geen rook uitkomt, de groeven onder zijn kaaksbeenderen zijn als met zwarte inkt bijgetekend.

'Dat was de afspraak niet,' zei Laura afgemeten.

Steves ogen vernauwen nog, geen oogwit meer, alleen schrale, geverfde wimpers, de mascara heet *Mischievous Green*. Hij laat zich op de grond zakken.

'Ik kom,' zei Laura. 'Echt waar. Achterna.'

'Waar?' vroeg Marco gedempt.

'Door de dorre landen,' zei zij duidelijk articulerend.

Steve McQueen wuift de onzichtbare rook weg. Om zijn pols zit Marco's Rolex Day Date die Laura meegenomen heeft toen zij die ochtend het huis uitging naar haar makelaar in effecten, diamant en bauxiet. Onbegrijpelijk lenig, zonder zich met de handen tegen de grond of de wand af te zetten komt Steve McQueen overeind en rekt zich uit.

'Vertrouw jou niet,' zei Laura.

'Ik jou ook niet,' fluisterde Marco.

'Hoeft niet,' zei zij.

(Vroeger had hij, bijna in een zelfde houding, minutenlang vlak bij haar afwezig gezicht gewacht tot hij iets zinnigs kon ontdekken in haar gebrabbel 's nachts, maar het bleef onverstaanbaar. Nu, na achttien maanden zonder hem, waren de flarden van haar nachtelijk leven preciezer geworden, bijna geformuleerd. Er was iets uitdagends, onbeschaamds in het gemak waarmee de woorden nu naar de oppervlakte welden.)

'Kom,' zei zij dringend. 'Kom gauw.'

Marco zag dat zij rende in haar slaap. Zij rent, zij wordt achtervolgd. Zij rent naar de lift. De lift komt niet. Zij trilt en houdt de wapperende panden van haar kamerjas bijeen. Zij loopt de trappen af terwijl ze met de vlakke hand tegen de muren slaat. Zij geraakt in de tuin beneden, de palmbomen ruisen, zij stopt en hijgt.

Marco zag haar hijgen, hij streelde haar dijen, haar liezen, het kroeshaar en onder de nauwelijks uitgeoefende druk van zijn vingers over haar heup rolde zij op haar zij en plette toen haar buik tegen de lakens, haar billen kregen kippenvel, hij gleed zijn wijsvinger en zijn middenvinger in de droge lauwte ertussen.

'Toe nou,' zei Laura duidelijk. 'Toe nou,' en in die overbelichte tuin beneden klappertandt zij. Er daalt een zwerm bijen over het sierheestertje waarachter zij hurkt.

Marco gleed met zijn knie over haar dijen die meteen, meteen, uiteenweken, toen met zijn hele lijf over haar rug. Zij verhief haar billen, hij streelde de plotse satijnzachte weelde, vond de verwonderlijk rekbare opening.

Steve McQueens platina sporen flitsen langs de twijgjes van de sierheester en langs haar gezicht, want ook in de zonovergoten tuin beneden ligt zij nu op haar buik en spreidt zij steeds verder haar gouden, gladde benen. Op tien centimeter van haar wang houden de bestofte, kapotte laarzen van de veehouder en bauxiethandelaar McQueen stil. Zij kust de linkerlaars, de laars beweegt, zij likt haar heftig, de puntjes van het spoor schrammen haar volle, eenzame linkerborst.

'Au. Je doet mij pijn!' riep Laura, maar Marco bedwong de nu ongewillig schokkende dijen onder hem, hij bleef rijden terwijl zij steeds wakkerder werd en vloekte. Zij had hem makkelijk uit het zadel kunnen werpen, waarom deed zij het niet? Omdat zij van mij houdt, raasde het door Marco's hossende brein, zij moet van mij houden door weer en wind, tegen elk beter weten in. Even zonderling snel als die gedachte in hem was gerezen, werd zij onverdraaglijk, hij verslapte snel. Hij trok zich uit haar los met een nauwelijks merkbaar soppend floepje en viel naast haar.

Laura kwam overeind op een elleboog, zij sloeg de deken over de besmeurde lakens. 'Hou van jou,' zei zij licht en masseerde zijn nek, zijn schouders. Toen alsof zij weer in haar slaapdronken wereld van achttien maanden Californië werd geslingerd begon zij te scharrelen tussen de kussens. Zij gooide de kussens van het bed, knielde naast het bed en zocht eronder.

'Marco, wat heb je met mijn tas gedaan? Kom op. Marco, hou me niet voor de gek, waar is mijn tas? Geef me meteen mijn tas terug!'

'Ik heb haar uit het raam gegooid.'

Zij rende naar het terrasje, boog ver voorover over de reling, kwam terug in de slaapkamer met bleke, koude ogen.

'Liefje, wat heb je met mijn tas gedaan?'

'Waarom? Wat zat erin?'

Zonder adem te halen, zonder aarzeling riep zij: 'Mijn rijbewijs, mijn paspoort, mijn verblijfsvergunning. Geef mij mijn tas, klootzak!'

Terwijl zij af en toe van het bierglas wodka dronk en verwoed op de ijsblokjes beet, zocht zij in de kasten, trok de laden open, zwiepte kleren, T-shirts, panty's om zich heen. Zij veegde de asbak, de modetijdschriften, de dozen Kleenex van het bed. En vond toen haar tas die tussen de ineengefrommelde lakens naast het bed zat. Zonder één blik naar Marco rende zij naar de badkamer. In de flat beneden was gestamp en gegil te horen, minstens vier vrouwen dansten er aërobisch bij Dolly Partons *'Under a Very Blue Moon'.* Marco bedacht dat hij een reisbureau zou kunnen bellen om zijn terugvlucht te vervroegen toen de voordeur openging en een rijzige, ietwat boerse jonge vrouw in een wit jeanspak binnenkwam, waardoor de wollige pluisjes op de zwarte vloer opwaaiden.

'*Hi.* Jij moet Marco zijn.'

'*Hi.* Jij moet Julia zijn.'

Hij trok net op tijd zijn hand terug die hij wou uitsteken. Sinds aids schudden de Californiërs geen handen meer.

‘Ik dacht dat je dunner was. Laura zei dat je vel over benen was.’

‘Ik ben dikker geworden door de zorgen om haar,’ zei Marco. Julia apprecieerde dit matig, zij ging naar de koelkast en schonk zich sinaasappelsap in. Toen zette zij een Braziliaanse plaat op, waarschijnlijk om Dolly Parton beneden te verstoren. Op dat ogenblik begon men vlak onder het terrasje met geklepper en geloei de gevel te zandstralen. Een politiehelikopter daalde en hing boven de palmen.

‘Laura is in de badkamer,’ zei Marco.

‘Dacht ik al,’ zei Julia en raapte de verspreide kleren op, leegde de asbakken in een kartonnen doos, legde de tijdschriften behoedzaam op elkaar.

Zij hield Marco’s onderbroek tussen duim en wijsvinger terwijl haar onderlijf wiegde op het Braziliaanse ritme. ‘Heb je nog meer voor de was?’

‘Nee,’ zei Marco. Zij keek hem smalend aan. Zij had meteen gezien dat deze logé niet reisde met perkamenten hutkoffers boordevol zijden sjaals en ondergoed.

‘Smaller,’ zei Julia. ‘Ik zag je smaller en angstiger.’

‘Angstiger?’

‘Ja, Europees angstig.’

‘Niet zo zelfgenoegzaam?’

‘Precies,’ zei Julia triomfantelijk.

‘Laura heeft op je telefoon zitten wachten.’

‘Dan is dat jammer,’ zei zij en liep zonder kloppen de badkamer in. Er was vrij gauw gegiechel te horen.

Onder het terrasje was de zandstraling beëindigd of opgeschort. Een meesterknecht schold een roodbestofte arbeider uit, die onverstoorbaar bleef, zijn walkman tegen zijn baksteenrode krullen.

Marco zat in de plastic stoel, hij kneep zijn ogen tot

grimmige spleten, vertrok zijn mond alsof hij op een flinterdun, bitter sigaartje zoog, zijn met aluin ingewreven, getaande huid spande over zijn kaaksbeenderen, hij speurde over de zandvlakte naar een bunzing, een auerhaan, een *bandido*, hij haalde zijn colt te voorschijn, drukte de koele loop tegen zijn natte slaap. Onder het plastic tafeltje knielde Laura en slobberde aan de wreef van zijn laars.

Toen de Braziliaanse plaat ophield deed Marco de televisie aan om het gekwekkel en de schrille lachjes in de badkamer te verstoren. In een quiz waarvan de spelregels onoverzichtelijk bleven, moesten pasgetrouwde mannen raden wat hun vrouwen die opgesloten zaten in een cabine zouden antwoorden op de vraag: 'Waar kan uw man het moeilijkst afscheid van nemen?' Een puisterige jonge soldaat zei dat zijn vrouw zou zeggen: 'Van mijn oude vieze tennissloffen.'

Gejoel en applaus.

Marco stond een paar ogenblikken radeloos midden in de kamer. Toen ging hij naar de deur van de badkamer, luisterde met een pijnlijke, debiele grimas met zijn oor tegen de deur, zijn adem bewasemde de klink. Er was alleen wat bedarend gekeuvel van Julia te horen en dan niets meer want de zandstraling begon opnieuw.

De twee vrouwen lagen, bedaard, op het bed. Er vlotte een geur van Chanel 19 en bloed in de slaapkamer. Laura lag diep tussen de twaalf kussens gezakt. Zij hief haar been, spande haar kuit, haar lange, geknakte tenen. Julia nam Laura's enkel vast en wrong eraan.

'Schei uit, Julia.'

'Oefeningen,' zei Julia. 'Je moet je oefeningen doen. Voor je 't weet krijg je cellulitis.'

'Heb ik al.'
'Maar nee.'
'Toch wel. Waar of niet, Marco?'
Marco zei dat hij er nooit iets van gemerkt had.
'Toch wel,' zei Laura koppig. Zij sloeg haar kamerjas open, perste de huid van een bil samen. 'Kijk. Sinaasappel.'
'Ach, schei toch uit,' zei Julia met de nukkige uitdrukking die zij had op de videotape toen haar schimmel weigerde over de hindernis te springen, een houten muurtje waarop bakstenen waren geschilderd als in een kinderboek, met plastic dennenboompjes aan elke kant.
'Hé, wat is dit hier?' vroeg Julia en toonde Laura's bil waar een lang, sierlijk spoor van geronnen bloed te zien was.
'Van Marco,' zei Laura meteen.
Julia kijkt Marco onderzoekend, niet onvriendelijk aan. Haar blik zegt: 'Dat had ik van jou niet verwacht.' En 'Maar vergeet niet dat ik de amazone ben die over Laura heerst, die haar troost als jullie haar allemaal in de steek laten.'
Julia speelde met een soort plastic telefoonhoorn zonder gaatjes, met gladde wratten op het mondstuk. Op het handvat stond het merk SANYO en de vermelding dat het instrument alleen door volwassenen mocht gebruikt worden.
Marco's oren suisden. Julia gleed het ding dat kalm begon te zoemen over Laura's bil, over het bloedspoor.
'Waar zou jij het moeilijkst afstand van kunnen nemen, Laura?' vroeg Marco.
Zij dacht na. 'Van jou,' zei zij.
'Nee. Even serieus.'
'Ik wil geen afscheid nemen,' zei zij. 'Van niemand.'

'Ik wel,' zei hij. 'Van de meeste dingen. Zelfs van de staat van liefde.'

'Ja,' zei Laura peinzend, 'daar ben je het type voor.' Uit de badkamer was een rauwe, kelige uithaal te horen, als van iemand die wakker schrok van zijn eigen nabij gesnurk. Jojo, de terriër, die stierf. Het gezoem van de vibrator.

Buiten het geluid van de branding en het geklepper van de politiehelikopter die bleef dalen en in de tuin zou landen.

De dwerg

MENSJE VAN KEULEN

Londen is niet veel terrassen rijk. Er zijn genoeg warme dagen waarop ik mij graag buiten verlustig in het schouwspel dat mijn toegenegen stad mij te bieden heeft, maar een terras is er heel wat zeldzamer dan het urinoir dat je in de vreemdste uithoeken tegenkomt.

Ik had mij hierover verwonderd in gezelschap van een dame en verduidelijkte mijn ergernis hieromtrent door erop te wijzen dat pubtijden nota bene niet eens bevorderlijk waren voor een volle blaas. Ze moest erom lachen, maar had de glazen Chablis die ik haar had laten brengen, dan ook in een onbescheiden tempo geledigd. En toen ik haar had uitgenodigd op de stoel naast mij plaats te nemen, was ze enigszins wankelend opgestaan en had bij de eerste stap een flinke overbodige zet tegen haar tafeltje gegeven.

'We mogen blij zijn,' vervolgde ik, 'dat dit hotel wat meubilair op de stoep zet.'

'Het zijn Franse obers,' zei ze en leunde achterover alsof ze deze koketterie overzee geleerd had.

'Dat weet ik. Ik kom hier regelmatig.' Aandachtig bestudeerde ik haar lippen, waartussen vluchtig een tongpuntje gleed. 'Jammer dat ik u hier niet eerder ontmoet heb, u zou mij zeker zijn opgevallen.'

Weer lachte ze. Mijn hemel, wat een lippen! Ze werden nauwelijks smaller en ontblootten een rij schitterend witte tandjes; een theater van een mondje.

'Werkelijk,' riep ik uit.

'Luister, kleine...' Ze zweeg even en boog zich toen opzij: 'Vind je het heel erg dat ik dat zei?'

Voor ik dit verhaal vervolg, lijkt het me raadzaam te vertellen wie ik ben. Lezer, ik moet u bekennen dat ik klein ben, niet zomaar klein, maar behoorlijk klein: ik ben een dwerg. Het zit hem met name in mijn armen en benen. Mijn romp is, in verhouding, lang en mijn hoofd en geslacht (waarin uiteindelijk de werkelijke macht zetelt) zijn van een buitengemene proportie. Heb dus geen meelij, alles zit erop en eraan en ik voel mij uitstekend. Meelij heb ik wel eens met u die in problemen verzeild raakt waar ik, God zij dank, nooit mee te kampen heb.

Terug nu naar Miss Gillian, wier naam mij op dat moment nog niet bekend was.

Ik zweeg een paar seconden, net niet te lang om het haar al te pijnlijk te maken, legde mijn hand op haar knie en keek haar tegelijkertijd aan.

'Lief kind, ik vind niets erg wat jij niet erg vindt.'

'O, maar ik vind het niet erg, meneer eh...' Ze raakte aarzelend mijn hand en liet hem toen rusten, de lange lenige vingers gespreid.

'Constant P., P. van Piers, Cavalry.'

'Is Constant genoeg?'

'Als het je niet te veel is.'

'Gillian.' Ze lachte. 'De rest doet er niet toe.'

'Bescheidenheid siert.'

Ons gesprek zette zich, nu en dan overstemd door het lawaai van verkeer dat optrok bij de zebra's, nog enige tijd voort over het verschil tussen bescheidenheid en eenvoud toen ze plotseling vroeg hoe laat het was. Ik liet mijn linkerhand waar hij was en lichtte de mouw van mijn horloge.

‘Mijn hemel, halfzes!’

‘Je schrikt.’ Ik gaf haar een bemoedigend klopje. ‘De tijd gaat snel, nietwaar, wou je dat zeggen? Een echtgenoot die wacht... Is dat het? Honger? Honger is evenmin een probleem!’

Ze schudde haar donkere lokken. ‘Ik moet nog wat oefenen,’ zei ze, stak haar handen vooruit en begon haar vingers op en neer te bewegen. Een voor een liet ze ze cirkeltjes draaien.

‘Neem me niet kwalijk maar er zijn een hoop dingen die een mens niet verleert. En als ik het zo bekijk kan je er wat van.’ Ik sloeg het eerste akkoord van een etude op haar knie en ging over in: ‘Pedapedapompompompedapeda pediepiepie.’

‘Nee, geen piano,’ lachte ze.

‘Ik moet optreden.’ Ze zuchtte en legde gehaast uit: ‘’t Is zo’n liefdadigheidsavondje. O mijn God, ik zal wat moeten ontnuchteren.’

‘Drank heeft plankenkoorts minder kwaad gedaan dan onthouding of een pil. Bovendien levert een mislukking heus niet minder op.’ In haar geval zeker niet, daar was ik van overtuigd. Wie zou niet graag zo’n aardig exemplaar in het volle licht zien staan? Ze hoefde maar op te komen en ’t succes was al verzekerd. Ondertussen was ik wel nieuwsgierig geraakt naar de belangeloze rol die ze straks moest vervullen. Ik bootste haar vreemde vingeroefeningen na.

‘Het zou je niet lukken.’

‘In geval van een piano heb je ongelijk.’ Fladderend liet ik mijn vingers in de binnenzak van mijn colbert verdwijnen. ‘Denk eens aan Mozart toen die nog geen grote handen had.’

Ik haalde mijn etui te voorschijn, koos voor een Balmoral, hield er, roosterend, een vuurtje bij en stak hem op. De oude man op de bank had nu niet alleen zijn natte duim opgehouden naar een voorbijganger, maar schreeuwde hem na: 'Kijk jij maar uit, schroothoop!'

'Kinderen kunnen niet goochelen.'

In plaats van langzaam en smaakvol door de neusholte te glijden, schoot de rook door mijn neusgaten. De tranen sprongen in mijn ogen, maar ik zorgde ervoor dat ze dat niet zou zien. Slechts Pearly, mijn huisvriend en chauffeur, kent mijn zwaktes en één daarvan is dat ik snel van een kleinigheid onder de indruk ben. En ik was terdege verrast. Je ontmoet niet alle dagen een goochelaar, laat staan een vrouwelijke.

'Dat is waar.' Ik nam, afwachtend, een volgend trekje aan mijn sigaar en blies de rook in kringen uit die, even raadselachtig en onzichtbaar als mijn gedachten, verdwenen.

'Ik doe 't alleen voor m'n eigen plezier.'

Ik knikte en vroeg mij af of zoiets zonder publiek wel kon bestaan. Een ieder zal het hier met mij eens zijn: dat kan niet.

Ik begon een beetje verliefd op Miss Gillian te raken en was tot alles bereid als ik nog wat langer van haar aanwezigheid kon genieten.

'Je bent zenuwachtig,' zei ik, 'en je hebt te veel gedronken. Twee redenen waarom ik je niet in de steek zal laten.'

'Je bent erg aardig,' zei ze vlak bij mijn oor, zodat ik moeite had niet op mijn stoel rond te draaien.

'Weet je zeker dat je aan liefdadigheid mee wil doen?'

'Ik moet.'

'Waar is het? Kensington. Goed, ik woon hier nog geen driehonderd meter vandaan op Cadogan Place en honderd meter verderop zit een Italiaan met een propere, niet al te eenvoudige keuken. Ik bel mijn chauffeur en om halfnegen rijdt hij vierhonderd meter om ons op te pikken.’

De attributen voor haar optreden waren al op de plaats van bestemming en ook verder was er geen ‘maar’. Ze hield mijn hand vast tot ze haar scampi’s moest pellen. Eau de Vichy, pittige kruiderij en sterke koffie ontnuchterden haar; de charmante entourage, de bediening en mijn aardigste gezicht beletten haar echter uit een vrolijke roes te geraken en toen Pearly haar zag, wist hij precies welke muziek hij in de wagen moest draaien om haar onbezorgd af te leveren. En mij. Ik had haar, na kennis genomen te hebben van het juiste adres, niet alleen toegezegd mee te gaan maar haar zelfs aangeboden te assisteren.

Het huis waar wij voor stopten was mij namelijk niet onbekend. Ik had er menig spelletje kaart gespeeld met William Merledy, een goeiige, ongelooflijke sukkel die nooit iets van mijn verhouding met zijn echtgenote in de gaten zou hebben gekregen als ik niet, door al zijn blinde onschuld, slordig was geworden. Dat ik het huis op ongeregelde tijden frequenteerde, verbaasde hem niet. Hij zag mij even graag komen als dat hij mij aantrof. Liever zorgde ik ervoor dat hij mij in het geheel niet zag omdat die kaartspelletjes van hem me behoorlijk verveelden. Helaas ontkwam ik daar niet altijd aan en om er dan zo snel mogelijk van af te zijn liet ik de onnozele winnen. Aanvankelijk vermaakte hij zich daar in stilte om, maar toen hij geen enkele keer meer verloor, begon hij mijn blunders, even stilletjes, te wantrouwen. Dit wantrouwen betrof mijn al te sportieve houding in het spel en had zich nog niet uitgebreid tot Mrs. Merledy. Zij op haar beurt was echter even roekeloos geworden. Had ik een keer, in haast, mijn regenjas vergeten, zij liet het ding, in plaats van te verstoppen of mij toe te sturen, over een stoeltje in haar slaapkamer hangen. Een vreemde zou een dergelijk kledingstuk tussen al die lichtzinnige stofjes en kleurtjes nog zijn opgevallen. Zo ook William Merledy. De enige ogenblikken waarop hij het vertrek in zijn volle glorie zag, was wanneer hij haar begroette; mocht hij eens langer blijven – wat uitsluitend gebeurde als zij een goed humeur had en niet nadat hij had aangedrongen – dan moest het licht uit omdat hij volgens haar zeggen 'bij zoiets niet is om áán te zien'.

Ze probeerde hem wijs te maken dat het een jas van het zoontje van de meid was, niet verwachtend en hem daarom ook niet gadeslaand, dat de sukkel eens in de zakken ging snuffelen. Hetgeen hij eruit te voorschijn haalde, bestond niet uit een katapult, verbogen paperclips, stoffige dropjes of een onderdeel van een Dinky Toy. Met afgrijzen moet hij de inhoud hebben bekeken terwijl een plannetje in zijn slome hersens opkwam. Toen hij me een paar dagen later strikte voor een spelletje, haalde hij plotseling mijn sigarenknipper te voorschijn en knipte een hoekje van iedere kaart die mij te beurt viel. Het werd het laatste spelletje. Mrs. Merledy had mij bijna anderhalf jaar niet gezien.

Zodra Mrs. Merledy van de verrassing mij weer te zien, bekomen was, kuste ik haar hand en zei: 'Je ziet er fantastisch uit.'

'Mijn lieve Constant, ik ben zo blij...' Ze maakte aanstalten te hurken.

'Boven blijven voor de gasten.'

'En je bent nog steeds hetzelfde.'

'Niks gegroeid. Het wil maar niet lukken, hoe goed ik ook eet.'

Ik krijg wel eens genoeg van zulke grapjes maar ze hebben meestal resultaat en bij de gastvrouw zat het 'm ditmaal in het buikje dat (was het molliger geworden?) grappig voor me schudde.

'Ik heb je zo gemist.' Tranen verfluisterden haar stem.

'Hoe is het met William?'

'Hij heeft je ook gemist, de ongelukkige.'

'Zeker lang boos op hem geweest.' En nog boos, dat wist ik zeker.

'Ben ik niet keurig op tijd, Lizzy?' klonk de stem van Miss Gillian.

'Ach Gill, liefje, ik was al bang dat je niet meer zou komen.'

Heel wat enthousiaster wenkte ze Pearly, die tenslotte ook een oude bekende van haar was.

Pearly's knappe verschijning deed enige dames een plaatsje opschuiven en ik zag nog net hoe hij, achterin, naast een dikke, oudere dame ging zitten, toen het licht uitging op twee spotjes na, die het echtpaar Jones aan de vleugel belichtten. Miss Gillian ging mij voor naar de serre die uitzicht bood op de grote, gedeeltelijk door glas overdekte tuin met recht ertegenover een uitgang op de zaal waarin zich een allegaartje van drie eeuwen stijl bevond.

'Alles wat ik doe, wat ik kan, zijn van die eenvoudige goocheltrucjes zoals meters sjaaltjes en een hoed waar van alles uit komt.'

'Eerlijk gezegd heb ik nooit ontdekt hoe dat precies gaat.'

'Ik kan je dat nu niet een twee drie uitleggen. Bovenop, in die witte koffer, ligt mijn pak.' Ze haalde haar jurk omhoog en riep, al doende, onthoofd: 'Eerst de broek.'

Voor de hals van haar jurk haar nekhaar vrijliet, had ik me haar achterkant ingeprent. 'De broek.' Ik legde hem over de stoel naast haar benen.

Welk landschap is het bekoorlijkst? Het grillige, hoge, waar je amper tegenop komt? Het platte, waar je aan alle kanten de horizon ontwaart? Of dat van zacht glooiende heuvels en dalen? Alles heeft zijn bekoorlijkheid, zo is het. Miss Gillian verschafte het laatste uitzicht waarin waarschijnlijk een beekje was dat, hoe lieflijk het ook kabbelde, ontsproot aan een onstuimige bron. De broek zat haar als gegoten en de glanzende stof accentueerde al dit moois. Ik overhandigde haar de pandjesjas; er was een stijf, wit frontje in bevestigd waarvan de boord met twee scherpe punten over de revers viel.

'Ik neem aan dat ik me niet hoef te verkleden? Je moet me nu trouwens wel uitleggen wat ik zo dadelijk moet doen.'

'Af en toe wat aanreiken, dat is alles.'

'Ik hoef dus niet in de verdwijnkast.'

'Zou je voorgoed verdwijnen?'

'Niet als jij erbij bent.'

'Ik zal het voorwerp dat ik van je nodig heb, gewoon hardop noemen. Dan kan er weinig misgaan.'

'En noem me William.'

'Zo'n ordinaire naam? Zelfs de gastheer heet zo.'

'Wat je zegt, er zullen er nog wel een paar van die naam zitten.'

'Je kent haar ook, hè?'

Vriendelijk gaf ik met een 'nauwelijks' toe. Jaloezie zou op dit punt tot niets voeren.

Miss Gillian zette een witte tulband op en pakte haar zwarte toverstokje, samen droegen we het tafeltje met benodigdheden naar zijn plaats.

'Kom kind,' zei ik en keek omhoog.

Ze boog zich naar me toe en gaf een zoen, haar lippen van elkaar. Met dit beloftevolle intro begon ons optreden. De consternatie in de zaal nam niet af toen onze lippen scheidden. Diverse dames en heren uit het gezelschap hadden mij herkend en alhoewel de reacties nogal uiteenlopend waren, voerde vrolijkheid de boventoon.

'Sir Constant P.! de kleine bastaard,' riep iemand luid. Het was niet eens William Merledy.

Ik ging op de vleugel zitten, trok uit liefde voor het instrument mijn schoenen uit, maakte een korte tapdans (men moet voor liefdadigheid tenslotte wat overhebben) en kondigde Miss Gillian aan als een wonder van hier tot de kim. Dat het net zo dichtbij is als oneindig weet een kind, maar men deed er het zwijgen toe.

'William, de toeter.'

De gastheer protesteerde niet tegen het lenen van zijn voornaam. Integendeel, hij hield zich verdacht rustig.

Ik sprong van de vleugel en reikte haar het met sterretjes beschilderde, tuitvormige geval aan.

Terwijl ze er kleurige sjaaltjes uit trok, knipte ik een puntje van mijn sigaar en schoot het met mijn duim de zaal in. Ik maakte een lichte buiging in Merledy's richting, draaide mij om en begon te klappen voor mijn lieve bazin die de laatste sjaaltjes de lucht inwierp. Toen ik de flinterdunne doekjes wilde verzamelen, sloeg ze met het toverstokje op mijn bil en beet me achter haar haren toe dat ik ze 'bij God en de rest' moest laten liggen. Ik deed of ik door een wesp gestoken was. Aangezien het publiek zich daar schaterend om vermaakte, liet ze niet na me, wanneer ik in haar buurt kwam, een venijnig tikje te geven. Ze toverde kaarsen uit de zoom van haar jas en kaarten uit de mouwen, ze vond een rubberen kikker onder mijn muts en trok serpentine uit mijn oren, tikte me weer eens op mijn achterste en ving er een ei. Ze oogstte succes. En toen ze op haar smalle schoentjes met pinnige hakjes verdween in een laag stikstof die in een witte mist over de vloer gleed, wierp men haar rozen toe uit de pompeuze vazen, om een muntstuk gevouwen briefjes van een pond, een blauwe slangenleren portefeuille met een cheque erin, een schone strenge herenzakdoek, en een pakje condooms met naam en adres van de afzender.

Lachend en zuchtend tegelijk liet ze zich in een rieten stoel in de serre vallen. 'William...'

'Constant,' verbeterde ik.

'Ik hou van je.' Ze hief haar armen.

'Een hele horde oorlogsinvaliden zou op jou alleen al een jaar kunnen teren, mijn gelukwensen.' Ik nam haar handen en trok haar omhoog.

'Gaan we al naar binnen? Ik moet me nog verkleden.'

'We gaan naar de gang,' zei ik.

'De gang?'

'De trap.'

'De trap?'

'Naar boven.'

'We moeten naar de zaal.'

'Niks geen zaal, naar boven.'

'Maar ze zullen verbaasd zijn waar we blijven,' protesteerde ze. 'Heus, we moeten.'

Met het toverstokje commandeerde ik haar in de richting van Mrs. Merledy's slaapkamer.

Alles was als vanouds: het destijds voor mij aangelegde koord aan de schakelaar die het licht ontstak van een vleeskleurige lamp in de vorm van een oester aan het hoofdeind van het bed, het heerlijke bed met de roodfluwelen sprei en satijnen met gouddraad geweven kussens, de fletse Perzische tapijten, de prikkelende geur van zware, goede parfum, de kaptafel vol kristallen en zilveren flesjes en potjes, o, die heerlijke mengeling van zachte stoffen, glans en schitter.

'Dat kan toch niet,' fluisterde Miss Gillian ontzet.

'Wat niet?'

'Dit is Lizzy's kamer.'

'Zitten,' zei ik kalm en tikte met het stokje op het bed. Ze ging zitten alsof het op een vensterbank was.

'Maar als ze...'

'Mrs. Merledy laat haar gasten niet in de steek, het partijtje is niet eens op de helft. Hier...' Ik pakte een fles cognac en twee glazen uit het nachtkastje. 'Op de goede afloop.'

Al bij de tweede slok leek ze zich te ontspannen. 'Ja,' zuchtte ze, ''t ging goed hè?'

'Fantastisch.'

'Jij ook, William.'

'Dank je, Lizzy.'

'Huh? Sorry, zei ik weer...?' Ze giechelde en leegde haar glas. 'Vermakelijk... Eindelijk vind ik 't wel leuk in Lizzy's kamer te zitten, op Lizzy's bed.'

'De verdwijntruc.'

''t Is je gelukt.'

'Ik ken er nog een paar.'

Ik aaide met het stokje over haar knieën en dijen, en het was of ik de sleutel in het slot stak en de deur op een kier ging. Haar benen gingen van elkaar en toen het stokje haar gulp raakte, greep ze me hartstochtelijk om mijn middel. Ze tastte naar mijn geslacht dat die dag al wel een dozijn maal was opgesprongen en nu hardnekkig lag te kloppen. 'O God,' zei ze schor. 'Kleed je uit, nee, laat me je uitkleden.'

Als een zoet kind liet ik het me welgevallen.

'Wat een schattig broekje! Er zit háár op je beentjes!' Miss Gillian gedroeg zich als het kind dat geen geduld kent bij het uitpakken van een cadeau. 'O,' slaakte ze, 'wat een, een... O!' Ze rukte bijna de jas van haar lijf, schopte haar schoenen van zich af, trok de pantalon uit en stroopte het laatste, minuscule kledingstuk langs haar benen. Mijn lid zwaaide als een scheepsmast en Miss Gillian wenste niets liever dan zich aan boord te begeven. De liefde bedrijven is iedere keer, mits je geen onbenul bent, verschillend. Je neukt in een razend tempo of doet het rustig aan, neemt er een halve dag voor of twee duivelse minuten. Ik ken kutten die ik met een knip van de vingers in mijn verbeelding graag voor me open zou zien gaan, maar ik ken er ook waarin je rondwentelt als met je voet in het zand, te vermoeid om nog een pas te zetten.

Miss Gillian ontfermde zich ogenblikkelijk over mijn snakkende, vleselijke ziel. Mijn God, ze was vochtig, zo geil en goddelijk toen ze om me heen gleed dat ik automatisch begon te bewegen. De hele dag had ik me voorgesteld hoe het met haar zou zijn en nu was het zover, eindelijk. Ik wilde, o ik wilde haar, door en door...

'Niet zo snel,' hijgde ze en hield haar onderlijf stil terwijl haar binnenste spieren samentrokken. 'Tot in m'n maag voel ik 'm.' Haar handen gleden over mijn borst en langs mijn taille naar mijn billen die gebald klaarlagen voor een volgende stoot.

Ik betastte haar kleine, ronde borsten, schoof mijn rechterhand onder haar oksel en duwde haar voorzichtig opzij. 'Op je rug, mooi wild meisje, en je zal hem nog dieper en vreselijker voelen.'

Onze geslachten scheidden met een sappige plop. Miss Gillian spreidde haar benen en trok haar knieën op. 'Ram me maar helemaal open,' riep ze. 'O kom, godverdomme kom erin.' Ik vroeg me even iets af over haar afkomst. Ze legde haar wijsvingers op haar buitenste schaamlippen en bewoog ze opzij. Ik omvatte mijn lul, streelde met de eikel haar clitoris, hard en glanzend als een gekonfijt kersje, en gleed toen langzaam naar binnen. Traag, in lange halen, zodat ik haar net niet voelde ontsnappen, begon ik op en neer te gaan. Ik likte haar tepels en haar hals. Ze boog haar gezicht naar me toe. Onze tongen krulden om elkaar. We vormden een cirkel, gloeiend, draaiend, steeds sneller, dansend, stijgend... Ze sloeg haar nagels in mijn schouderbladen, de punt van haar tong duwde tegen mijn verhemelte en trok zich los met een schreeuw. Haar bekken ging omhoog en daarbinnen golfde het. Sidderend, mijn hoofd tussen haar borsten, schokte ik leeg in het eeuwig, het zoetste paradijs.

Het was voor kort, natuurlijk voor kort. Eeuwig is een woord achteraf, een woord dat in dit geval door ieder zinnelijk mens begrepen wordt. Ik had ook kunnen zeggen dat ik de wereld om me heen verloor. Bovendien was het zo; ik had niets van mijn omgeving gemerkt.

'Lizzy,' riep Miss Gillian en in een reflex trok ze aan het dek alsof ze, daar eenmaal onder, niet gezien zou zijn. Mrs. Merledy stond naast het bed en keek met grote ogen op ons neer.

'Hallo Lizzylief,' begon ik en ging op de rand van het bed zitten. 'Zoiets als een gewoon moment bestaat nooit voor ongewone gebeurtenissen, want ze komen altijd op een onverwacht moment of je nou eet, je schoenen aantrekt of besloot om niks te doen. Ze komen wel en zijn dan vaak ongeloofwaardig, als uitersten: vreselijk toevallig, vreselijk verschrikkelijk of vreselijk kluchtig. Met andere woorden: als je bij me thuis de badkamer was binnengelopen nadat je eerst in de keuken een pan op je hoofd had gezet, zou ik meer geschrokken zijn. Hoe is het ermee?'

Ze was met stomheid geslagen.

'Veel opgehaald vanavond? Waar is het voor, de blinden-, de kinder- of de dierenbescherming? Een kazerne of kerstfeest in Borneo? Driehonderd pond? Vierhonderd?'

'Negenhonderd...' Ze keek naar mijn geslacht en zag het glimmend van vocht, slinken op haar eigen sprei. 'Constant... hoe kon je?'

'Leuk je weer eens onder vier ogen te zien.' Ik knipoogde naar de levenloze bobbel naast me.

'Hoe kón je! In mijn kamer... met haar in mijn kamer.'

'Wat moet een man die in maanden geen vrouw heeft gehad omdat hij van één vrouw houdt? Ze verschijnt in zijn dromen, verwart hem, doet hem huilen van verlangen. Hij proeft niet meer wat hij eet, hij bedrinkt zich, hij loopt haar huis voorbij, wel tien keer achter mekaar, hij luistert naar treurige muziek en hoort niks omdat zijn verdriet groter is, en de enige vrouw die hij nog kan aanzien is zijn moeder... wat doet zo'n man als hij door toeval in haar huis terechtkomt?'

'Ik was er toch.' Ze trok een pruillip.

'En als ze bij gasten en echtgenoot blijft zitten?'

'Ik kon niet anders,' piepte ze.

'Die man herinnert zich een bepaalde kamer en zijn hart klopt steeds woester. Hij neemt een aardig ding mee, juist daar, opdat hij met zijn ogen dicht denkt...'

'Dat is gemeen,' riep de onzichtbare Miss Gillian met verstikte stem.

Daar zat ik met twee huilende vrouwen.

'Ja, 't is gemeen,' zei Mrs. Merledy. ''t Kind dacht misschien...'

'Dacht?' Als een nimf verrees Miss Gillian tussen dekens en lakens. 'Hij is stapelgek op me!'

Mrs. Merledy sloeg de armen over elkaar. 'Jij dacht niks. Jij kan niet denken.'

'William, zeg dat het wel zo is.'

'Constant, suffe tut. Hoorde je dat, Constant? Zie je wel dat ze niet nadenkt.'

Een kussen suisde door de lucht. 'Wel heb je ooit... Uit m'n bed! Constant, haal die teef uit m'n bed.'

'Luister Lizzy, ze heeft minstens voor een derde van die negenhonderd...'

'Ik een teef?' Miss Gillian stond op het bed. 'Goor wijf, stronthoer, oud lijk, omhooggevallen vals kreng, ik durf te wedden dat zelfs je haren niet echt zijn.'

Ze vloog op de gastvrouw af en priemde haar vingers in het vernuftig kapsel. Krijsend sloeg Mrs. Merledy om zich heen. Beiden trapten, sloegen en beten waar ze maar konden. Twee vechtende vrouwen, een mooie blote en een niet minder mooie in een chic, lang gewaad met geborduurde vogels op het front die, door de naar adem happende borst, keer op keer de nekjes werden omgedraaid. Ik keek, vermaakte me en betreurde niets.

Mrs. Merledy struikelde over de rand van een tapijt en viel. Ze probeerde overeind te krabbelen, maar Miss Gillian stortte zich met haar volle gewicht op de gastvrouw. Haar billen waren klein voor een vrouw, al leken ze dat niet op het eerste gezicht omdat ze blanker waren dan de rest van haar gebruinde lijf en omdat ze vrouwelijk van vorm waren. Zacht en mollig, zoals het hoort, met een flauwe, marmerachtige tekening aan de zijkanten. Wat vrouwen ook sporten, het helpt niet. Op hun billen blijft altijd wat lui en machteloos vlees om te strelen, om te warmen, om te knijpen. Of om in te bijten, zoals in Miss Gillians cakejes die trilden bij iedere poging om Mrs. Merledy eronder te houden. Ik bemerkte dat mijn lul ontwaakt was en zijn oogje loerend boven mijn dij uitstak. Ik hielp hem een beetje overeind te blijven. Hij kleefde aan mijn hand en stak zijn nek uit toen de heerlijkheid die hij nog maar net verlaten had als een teer, roze spleetje in het donker krullend haar zichtbaar werd.

Terwijl de goochelaarster zich wijdbeens wilde laten zakken, wist Mrs. Merledy zich om te draaien. Haar kapsel leek een hoop spaghetti, gestort in een vergiet met te wijde mazen, haar wangen waren purperrood en de vogeltjes op haar borst werden nu ziekelijk gemaltraiteerd. De kampioene voor het moment zette de handen op haar schouders, meer om erop te rusten dan om ze met kracht neer te drukken. Hijgend, met open monden, keken ze elkaar aan. Mrs. Merledy haalde uit om te slaan en haar hand raakte ternauwernood Miss Gillians oor en gleed af langs haar hals en borst.

'Verschrikkelijk,' zei Mrs. Merledy uitgeput.

'Absurd,' zei Miss Gillian.

Zomaar pardoes begonnen ze te giechelen. Miss Gillians rug en benen ontspanden zich, haar tepels stelden vragen. Ze aarzelde en veegde toen de lange lokken uit Mrs. Merledy's gezicht.

'Het spijt me,' zei ze. 'Ik weet wel dat je geen vals haar hebt. Lizzy, je bent geen oud lijk en geen... ach lieve Lizzy, lieve lieve Lizzy!'

Deze sloeg haar wimpers neer en tuitte haar lippen.

Ze kusten elkaar! Ik had het niet meer en begon te rukken. Mijn linkerwijsvinger zocht mijn anus (ik haalde het net) en drong naar binnen. O, hoe Lizzy uit haar kleren kwam, hoe Miss Gillian ieder naaktkomend plekje kuste en streelde, hun popelend draaiende lichamen, het lokkend geluid van hun kusjes, zuchtjes en woordjes. Ik verslond het beeld van de twee vrouwen en liet mijn lid even met rust toen Mrs. Merledy geheel ontkleed was. Ze was dezelfde gebleven, mijn bloemzoete Lizzy, met haar fijne blanke huidje dat zo weinig kon hebben. Een klapje en je hand stond er rood in afgedrukt.

'Je bent snoezig,' fluisterde Miss Gillian. Ze deed een stap vooruit en streelde de golvende lijn van taille en heupen: 'En zo zacht...' Hun borsten en buik raakten elkaar en ik roerde mijn vinger en kon mij nauwelijks meer beheersen. Hun omhelzing werd inniger en onstuimiger en toen ze als twee ongetemde, speelse dieren over de vloer rolden, rukte ik uit alle lust. Benen en billen schoven langs en over elkaar, haren sloegen rond en stroomden samen, telkens wanneer hun monden aaneensloten, hun venusheuvels leken zich beurs te drukken.

Ik zou het niet veel langer houden.

Miss Gillian schoof eerst één, dan twee vingers in de vagina van Mrs. Merledy. En haar hitsige speelmakker schoof erom heen en weer, legde haar handen om haar eigen borsten en draaide ze, in een opwaartse beweging, rond.

'O, mijn ondeugende poesjes.' Ik voelde dat ik ging komen. Op het bed, op mijzelf, waar dan ook, het zou verrukkelijk zijn. 'Voor jullie,' riep ik. 'Voor jullie!'

Een gekrijs onderbrak het teugelloos pad naar de poort van genot. 'Constant... Vlegel!'

Het was Mrs. Merledy en zij smeekte me erbij te komen. Ik haalde diep adem, bedacht dat ik aan mijn toekomst moest denken en zei: 'Ja, m'n liefjes, natuurlijk.'

Met wippend lid ging ik op ze af en liet me tussen hen neer. Mrs. Merledy gaf een lik over mijn ballen en verscheen met haar gezicht, beeldschoon als altijd maar opwindender door de verveegde en uitgelopen make-up en het uit zijn model gerukte, woeste kapsel, boven mijn buik. Ik duwde mijn lul in haar mond en keek toe hoe haar lippen gulzig zogen, terwijl ze met twee nagels, donkerrood met zilverglitter, de huid onder mijn eikel tegenhield. Miss Gillian vlijde zich tegen haar rug en kreunde de melodie van verlangen en niet krijgen. Met een vingertop bewoog ze Mrs. Merledy's clitoris heen en weer, haar andere hand zeemde over die van haarzelf. Mrs. Merledy's tepels zwollen tot hazelnoten, haar tong trilde tegen mijn lul en 'aah aah' zuchtend verhief ze haar bovenlichaam en leunde het hoofd op Miss Gillians schouder.

'Stel geile meiden, jullie maken me gek. Laat alles over aan een gek. O lekker tuig, ik wil jullie allebei!' Ik kroop naar het bed, vond het toverstokje en snelde terug.

'Ik ken nog een heel, heel snedig trucje. In één keer. Jij, zwarte, op me zitten!'

'En ik?'

'Lizzy, mooie heks, tegenover d'r, met je reet omhoog zodat-ie me aankijkt.'

Kirrend van plezier kwamen ze wijdbeens boven me staan en zakten, elkaar omarmend, op hun knieën.

'Zo goed?' vroeg Mrs. Merledy. Haar ronde achterwerk, met aan de onderzijde de smalle rode sporen van haar slipje, was het enige uitzicht dat ik had. Diep inhaleerde ik de kruidige, zilte geur en zei: 'Perfect.'

Nat en warm onthulde Miss Gillian mijn geslacht. 'Jezus Christus,' zei ze.

'Constant,' zei ik. Ik spreidde de roze, stevige schaamlippen boven mij, stak mijn duim in de vagina en verwisselde die voor het toverstokje dat ik centimeter voor centimeter liet klimmen.

'Gemene dwerg,' zei Mrs. Merledy hees en draaide bevallig haar kont rond het ding.

'Sloerie.' Ik wist dat ze dat graag hoorde en herhaalde: 'Lekkere sloerie.'

In het ritme waarop Miss Gillian mij neukte (en met haar borsten over die van Mrs. Merledy bewoog), haalde ik het stokje op en neer. In het begin was dat rustig en regelmatig. Toen volgden een gejaagde minuut en een langere periode in driekwartsmaat. Ten slotte zakte ze als een lift van top naar parterre, riep schril: 'Ik kom!' en jammerde het uit, al liftend van hoog naar laag, naar halverwege en weer néér en óp en néér. Mrs. Merledy zoende haar kreunend. Ik hoorde het gesop van hun tongen. Het zachte gewelf boven me wulpte rond het stokje, over het door vocht beglansde hout glipte een dikke druppel. Ik zweefde te midden van zoete kleuren en bedwelmende geuren, het leven gleed uit mijn ledematen af naar mijn onderbuik. En het zwol en bonkte en spuwde zich uit in hete, lange scheuten.

'Pearly, jongen, je ziet eruit of je direct je bed in wil duiken.'

'U ook, Sir.'

'Wis en waarachtig.' Behaaglijk leunde ik tegen het zachte leer en sloot mijn ogen. 'O! O!'

'Wat u zegt.'

'En omgekeerd. O! O! Heb je Merledy nog gezien?'

'Gang in, gang uit. 'm Twee keer dat zien doen. Zag eruit of hij diep nadacht.'

'Een geest met perspectief, maar het blijft een sukkel.'

'Hoe bedoelt u?'

'Ik heb min of meer zijn vrouw gepakt.'

'Niet de eerste keer.'

'En op zijn verzoek, kun je wel zeggen. Met Lizzy viel natuurlijk niet meer te leven sinds hij mij had weggestuurd, begrijp je.'

'Klopt, Sir. Hij vroeg me heel vriendelijk hoe het met u was. Alles naar wens, zei ik.'

'En dat klopt ook. Die mooie meid zat vanmiddag niet toevallig op dat terras. Arme man.'

'U bedoelt?...'

'Ik pakte niet alleen zijn vrouw maar ook zijn maîtresse.'

Pearly floot tussen zijn tanden.

Zwijgend passeerden we de etalages van Knightsbridge en stopten voor een verkeerslicht.

'Ik zal u wel weer eens naar ze toe rijden, denk ik.'
'Zo zeker als het licht op groen springt.'
Hij grinnikte en een seconde later trok de wagen op.
'Wat een rare avond. Ik voel me net een zak appels.'
'Vertel het me morgen maar.'
'Graag, Sir.'
Ik nam mij voor William Merledy een kistje zware onversneden Cubanen te sturen.

Swing Bob!

LEON DE WINTER

Ik zat al vanaf zes uur achter het loket en ik had negenentwintig kaartjes verkocht, echt niet meer. Bij de gokmachines was het drukker, daar stonden ze onder de hoed die op de kraam lag en dan blijf je droog.

Mijn baas betaalde een fortuin voor deze plek, eerste categorie in het hartje van de hoofdstad. Prestige was het als je hier wilde staan, tussen de pik van het monument en het Optrekje van de Familie. Als de avond valt strompelen hier alleen dakloze allochtonen en spuiters met een huid vol gaten en vlekken. Het tuig gaat dan gokken. Spuiters kruipen niet in onze bakken. De kick die je in onze machine krijgt, die krijgen ze liever met andere spullen. Soms een allochtoon, maar verder zijn het scholieren of gewoon jongens zoals ik die elke week een loonzakje openscheuren en verder niet zeiken over de regen of de regering.

Mijn hok staat voor onze machine. Achter mijn rug stappen ze in de ijzeren gondels en ze draaien zich voor vier piek half bewusteloos. Ik heb een microfoon voor m'n gezicht hangen en zo nu en dan gooi ik er een kreet uit. 'Beleef de sensatie van de middelpuntvliedende kracht!' Of: 'Stapt u in, doet u mee, de *Swing Bob* neemt u mee naar de wereld van snelheid en techniek!' Dat soort onzin.

In feite is het een soort draaimolen, maar dan eentje die op hol slaat. Vanuit het midden, een sterke naaf is dat, lopen tweeëntwintig armen naar vrij hangende bakjes waarin ze zich met hun drieën persen. Het hele zootje begint te draaien, steeds sneller, tot ik ze hoor gillen van vrolijke angst. Tegen die tijd hangen de bakjes helemaal op hun kant. Als de machine niet zo hard zou draaien zouden ze eruit sodemieteren en verpletterd worden door de draagarmen. Maar de snelheid houdt ze erin. We hebben nog nooit een ongeluk gehad. Dat zal ook niet gebeuren. We onderhouden onze spullen vlekkeloos. Ik bedoel: we controleren elke aansluiting en elke verbinding tot we scheel kijken. Je kunt je geen enkel risico veroorloven. Als er een bak zou losslaan, dan zou die als een raket over de Dam knallen. Ik bedoel: dat zal nooit gebeuren maar als het zou gebeuren dan breekt de hel los.

Ik weet niet precies wat er mis is met deze wereld, maar als je niet uitkijkt dan ben je je leven niet zeker. 's Avonds sluit ik de boel af en dan moet ik met het geldkistje naar de wagen van m'n baas. Die staat op een parkeerterrein bij de Markthallen. Ik neem dan een taxi en lever het kistje bij hem af. Maar het gaat om die paar meter tussen mijn glazen hokje en de taxistandplaats, en daarna om de paar meter tussen de taxi en de woonwagen van m'n baas. Je voelt hun ogen in je rug, die blinde blikken, die bloeddoorlopen kijkertjes van ze die genadeloos de plek tussen je schouderbladen zoeken waarin ze het mes tot aan het heft zullen wegduwen.

Ik ben niet bang, ik ga niet voor ze op de loop, kijk niet schichtig om me heen, maar vanbinnen gaat het aardig tekeer – ik bedoel: eigenlijk schijt ik behoorlijk blubber als ik daar midden in de nacht gezellig met het geldkistje ga wandelen. Maar ze blijven van me af. Ik weet niet precies waar dat aan ligt, ze voelen gewoon dat ze niet bij me in de buurt moeten komen.

Een tijdje geleden, twee jaar was dat, nam m'n baas zelf de dagopbrengst mee. Nog voor hij de eerste gokkraam gepasseerd was, en die stond denk ik zo'n vier meter van onze *Swing Bob* vandaan, we hebben het dus over vierhonderd centimeter, had hij een dag voor niks gedraaid en ik ook. Ik had hem welterusten gewenst en ik stak over naar De Bijenkorf, toen ik hem hoorde roepen.

'Bob! Bob! Kom me helpen! Ze hebben me beroofd!'

Dus ik ren terug en daar stond-ie, midden op die dooie, donkere Dam, tussen de kramen van de kermis.

Kijk, m'n baas heeft poen genoeg, daar ligt het niet aan, hij trakteert de hele dag door op broodjes krab en zalmsalade en als ik niet een beetje lette op al dat vreten dan was ik nu net zo'n vetzak als hij (honderdacht kilo schoon aan de haak bij een lengte van een meter achtenzestig: zie je het voor je?), hij rijdt in een knalrode Corvette met v8-motor die een top van twee-dertig zonder problemen haalt, zijn woonwagen lijkt een beetje op de showroom van een goud- en zilverhandel annex dependance van de Delfts Blauw-fabrieken, hij draagt over zijn vette borst hartstikke originele Lacoste-shirts, draagt broeken van Armani om z'n dikke reet, nou ja – ik bedoel: hij heeft écht alles, dus door het verlies van één dagopbrengstje zal de wereld voor hem niet instorten, maar ik bedoel: hij stond daar als een klein jongetje te janken omdat hij zo godskolere machteloos was, omdat hij zo ontzettend in de zeik was genomen door de allochtoon-met-hulpmiddel. Ik denk: zo moet een vrouw zich ook voelen als een kerel in haar ligt te beuken en ze wil niet, wanneer ze zich niet kan verzetten omdat die ander te sterk voor haar is, dát is het gevoel.

Bij mij blijven ze op afstand. Ze ruiken het. Het tuig met de nachtmerrie-ogen loopt met een bochtje om me heen. Ik ben niet extra lang of extra sterk, daar ligt het niet aan. Ik denk dat ze het aan m'n mond zien. M'n mond verraadt me. M'n mond zegt ze: blijf met je teringvingers van me af, want als je dat niet doet dan steek ik je ogen uit en dan ruk ik je tong uit je smerige bek, ik beuk je kloten tot pulp, ik kraak je knieschijfjes tot gruis, ik breek je poten zodat je je de rest van je verrotte leven door de goot moet slepen op weg naar dat ene dealertje dat jij vroeger nog gematst hebt en dat jou deze ene keer na veel gesmeek en gejammer een tiende gram wil schenken. Dat zien ze allemaal aan m'n mond. Ik bedoel: ik veracht ze.

Ik train. Niet in een sporthal of zo, want dat kan niet met mijn vak want om de twee-drie weken sta ik ergens anders in dit kikkerlandje, nee ik train voor mezelf, gewoon buiten. Dan ga ik even een half uurtje rennen en dan niet zoals die modieuze flikkers dat doen in zo'n lamlendig, koket pasje, nee ik ga voluit, ren me wezenloos tot het zweet echt over me heen stroomt en ik uitgeput een koffiehuis binnenstrompel waar ze denken dat het buiten regent want ik ben dan echt doorwéékt, weet je wel, het gutst aan alle kanten over m'n lijf.

Geen grammetje vet kun je bij me vinden, ik zit hartstikke goed in m'n vel en het tuig ziet dat. Ze zien gewoon aan me dat ik ze tot puin ram als ze ook maar met één stinkend vingertje naar me durven te wijzen. En m'n mond natuurlijk. Die heb ik niet onder controle, dat geef ik toe. Aan m'n ogen kun je niets aflezen, ik kan iedereen volslagen blanco aankijken, maar m'n mond is een open boek. M'n lippen gaan trillen als ik kwaad ben. Of als ik zenuwachtig ben, als ik ergens in een tent een leuke meid tegenkom of zo, dan sta ik echt te klappertanden, alsof het twintig graden vriest.

Het regende, zo'n zeurend, vervelend regentje met haarfijne druppeltjes die door alles heen dringen. Gevaarlijk regentje. Je kunt beter een ijzige stortbui hebben die de wereld in één klap blank zet, dan zo'n dreinend buitje dat urenlang de stad in een benauwde douchecel gijzelt. Die dunne regen kruipt door de verbindingen, de afsluitkleppen, de isolatieringen. Kortsluiting. Het hoeft niet, ik bedoel: ik zeg niet dat als het motregent dan krijg je altijd kortsluiting, nee, het kan. De Dam was leeg. Elke attractie heeft zijn eigen rettketetmuziekje, je hoort vijf-zes top-tiensongs door elkaar heen en na een hele avond achter het glas van mijn hokje met negenentwintig-mensen-maal-vier-gulden-is-honderdzestien-gulden-omzet begin je aardig door te draaien en word je een beetje doof en ga je een eind tegen jezelf zitten lullen.

Ik zat een beetje te bladeren in een *Playboy*. Anita, de ex van de Dolly Dots, liet daarin zien wat ze had. Te gekke kont en een mooie buik. Haar tieten vielen een beetje tegen. Ze moeten al die meiden van de Dolly Dots op één foto als Playmate van de Maand brengen. Ze hoeven elkaar niet lekker te maken, maar ik bedoel: gewoon op een rijtje naast elkaar zodat je eindelijk te weten komt wat ze onder hun bloesje en in hun broekje hebben, dat is al oké. Ik zie ze wel eens op tv, met van die korte rokjes en losse hemdjes en de boel maar lekker opgeilen. Ik vind dat ze een keer de hele handel gewoon moeten onthullen. Het zijn geloof ik wel toffe meiden, volgens mij kun je wel met ze dollen en zijn ze niet vies van een kermisklant, als-ie maar geschapen is. Kijk, de kans is klein dat ze hier ooit voor m'n loket verschijnen en tegen me zeggen: 'Hé Bob, vijfmaal, en kom er zelf ook lekker bij,' maar ik denk dat ik ze niet teleur zou stellen, zonder zenuwen, echt. Gewoon m'n lippen op mekaar en geen trillende kaken.

Mijn hok geeft rugdekking. Vóór me en links en rechts houden ruiten het tuig op afstand. Ik zie veel 's avonds. Er wordt gedeald hier op de kermis. Ze lopen elkaar opgewonden na, hun holle gezichten verkrampt door honger naar de kick. Ook hangen er jonge allochtonen rond die mot hebben met hun ouwelui en zich laten pijpen door vieze flikkers. Soms wankelt er een heroïnehoertje rond die de weg kwijt is naar de gedoogzone.

De Familie zou dat eens moeten zien. Gewoon het gordijn opzijschuiven en vanuit een van de ramen van het Optrekje een paar uur naar het tuig staren.

'Zie je dat hoertje daar, Klaas? Loopt gewoon zonder broekje onder dat korte rokkie van d'r.'

'En die junk dort lauft zu dealen. Waaraan haben wij dass zu danken, diese gedoogzone zo vlak voor die tür?'

'Hier, neem nog een blowtje, dan word je wat rustiger.'

'Nein, die rote libanon fallt slecht bei mir.'

Ik bedoel: ze laten het wel uit hun kop om wanneer het kermis is gezellig naar de *Swing Bob* te loeren. Weet je, mijn woede om het gehuichel en gedraai en gezeik en bedrog en schurftige lafheid stijgt wel eens naar m'n kop en dan wil ik wel eens hun adamsappel dwars door hun luchtpijp drukken. Dat ik die klootzak gisteravond verrot getrapt heb moet je dan ook op de juiste manier bekijken. Ik had 'm hier eerder gezien, zo'n *creep* die overal tussendoor glipt en bejaarde tantes van hun boodschappennetje verlost, zo'n type.

Om één uur had ik de boel op slot gegooid en stapte ik met m'n honderdzestien gulden in een taxi. Nog steeds die regen, je kent dat wel, die glanzende, lege straten, zo'n Hollandse avond die eeuwig lijkt te gaan duren. Ik bracht hem het geld, hij had niet meer verwacht, zei hij. Hij zat onderuitgezakt in zijn vergulde woonwagen, z'n buik lag tevreden tussen zijn bovenbenen. Hij had de video uitgezet toen ik binnenkwam, maar ik zag op het kristallen salontafeltje de cassette liggen van het pornootje dat-ie had gehaald. Daar zat-ie vaak naar te kijken. Hij is lid van elke pornotheek in Nederland, zal alle quizzen met als onderwerp pornovideo winnen. Hij hoort een hijg en weet wie het is en in welke film. Idem dito met poesjes en pikken.

Het doet me niks, porno. Het is vooral het gehijg waardoor mijn Willie zich in zijn schulp terugtrekt, hondjesgehijg met warenhuismuziek. Ik bedoel, zelfs als Anita van de Rollybolly's met d'r lekkere poes door het beeld zou schuiven dan nog zou ik geeuwend naar een ander net schakelen. Mijn baas wordt er hongerig van. Bij de cassette lag een partij knabbels die de kauwbehoefte van een hele provincie een weeklang kon bevredigen. Terwijl ze met z'n tweeën of drieën daar op de buis lagen te wippen, knabbelde m'n baas zich wezenloos aan de wokkels en snokkels en kokkels.

Hij is geen miet of zo, valt ook niet op jongetjes die hun melktanden nog moeten wisselen, het is denk ik gewoon dat hij niet durft. Het moet ook een belachelijk gezicht zijn, die zielige Willie van hem zo weggestopt onder die zwangere buik. Hij geneert zich volgens mij kapot als hij 'm uit z'n broek haalt. Het is nog een wonder dat hij 'm kan vinden daar beneden als hij moet pissen.

Hij vroeg of ik even wilde zitten en ik dronk een pilsje met hem. De laatste tijd zeurt hij weer veel over de moeilijke tijden en dat hij er misschien maar mee op moet houden en ergens stil van zijn oude dag moet gaan genieten. Daar maak ik me geen zorgen over want dat zegt hij al vanaf de eerste dag dat ik bij hem werk. Hij heeft het periodiek, bij vlagen krijgt hij het op zijn heupen en dan moet hij het kwijt en vraagt hij als ik de opbrengst kom brengen of ik niet even wil gaan zitten. Ik luister dan naar hem. Hij is wel oké, door die papwangen heeft hij iets van een baby. Ook die klauwtjes van hem, die dikke vingertjes, die zijn zo onschuldig, als je begrijpt wat ik bedoel. Hij zat daar een kwartier weg te babbelen en zei toen opeens: 'Weet jij waarom ik jou heb aangenomen?'

Ik antwoordde natuurlijk: 'Omdat ik de beste was.'

Hij knikte. 'Je was de beste. Jou kan ik vertrouwen. Maar je had ook je naam mee. Bob die bij de *Swing Bob* werkt. Dat klinkt goed.'

Kijk, dat bedoel ik nou. Hij is gewoon een groot, volgevreten kind. Hij doet geen vlieg kwaad. Een Michelinmannetje met een hartje van snoepgoed. Hij zei toen: 'Weet je. Bob, als ik er ooit mee ophou, dan is-ie voor jou. Je betaalt 'm langzaam af, maak je over het geld geen zorgen. Als ik stop dan is de *Swing Bob* voor jou.'

Dat was te gek. Dat had-ie echt niet eerder gezegd. Kijk, hij hoeft zoiets helemaal niet te zeggen, niemand dwingt hem om mij de *Swing Bob* te beloven, ik zat er ook helemaal niet naar te vissen, dat laat ik wel uit m'n kop, en daarbij: het was nog nooit bij me opgekomen, maar hij zei het hardop en ik kon m'n oren niet geloven. Bob met de *Swing Bob.* En in een flits zag ik het allemaal voor me: m'n eigen Corvette, m'n eigen wagen met Delfts Blauw en vergulde spiegels en zilveren aanstekers en gouden lepels en m'n matras vol papiergeld en daarop die geile Anita met wie ik wel even de blits zou maken tegen de tijd dat ik zo in m'n poen zou zwemmen als m'n baas nu deed. Ik kon hem wel kussen, heus, ik had hem zo een paar lekkere klapzoenen op zijn papwangen kunnen geven.

Jongen, ik zweefde zijn wagen uit. Ik voelde me hartstikke licht in m'n hoofd en wankelde met een tintelend lijf naar de Warmoesstraat. Die kloteregen kwam nog steeds naar beneden, maar dat kon me echt geen fuck meer schelen want ik had die te gekke droom dat ik op een dag de baas van het hele spul was. Ik zou zelf achter het loket blijven, want het was een goeie plek en je verveelde je er ook nooit al zat je wel eens uit je neus te vreten. Aan m'n voeten stond een elektrisch kacheltje en je zat er droog en je keek er over de hele kankerzooi uit. Kijk, op een bepaalde manier raak je toch gehecht aan de troep op zo'n kermis, aan de vuiligheid op de grond en de teringherrie. Het tuig moet weg, dat wel, en ik dacht meteen aan een plannetje om de ellendelingen uit de buurt te houden, gewoon met een knokploeg van de kermisklanten. Als ik de baas van de *Swing Bob* werd, dan zou ik de boel zuiveren, dan zou de kermis weer een kermis worden voor kinderen, weet je wel, waar gezinnen naar toe gaan om naar de draaimolen te kijken en te gillen in de spooktent en te lachen in het spiegelpaleis. Aan dat soort dingen liep ik te denken toen ik naar de Warmoesstraat liep.

Als we hier in Amsterdam staan, dan slaap ik daar in een pensionnetje. Het is een gore tent, barstensvol Duitse heroïnetoeristen die hier een overdosis komen nemen. Het zijn van die ouderwetse hippies, nog met lang haar en zo, en ze zijn behoorlijk gek. Volgens mij zijn de Germaanse junks de ergsten. Ze zijn meedogenloos. Als je een suikerzakje openscheurt zijn ze bereid om je er ter plekke voor te vermoorden, want die dolle honden zien het echt gewoon niet meer, die zien iets wits en denken meteen aan een flash en een kick. Ik heb gehoord dat ze een keer de poedersuiker uit de poffertjeskraam bij De Bijenkorf hebben gejat. Die moffen spuiten zoals ze Mercedessen bouwen, verbeten en heel gründlich. Ze terroriseren de stad, net als vroeger. Ze jatten alles wat los en vast zit, lopen rond met slagersmessen uit Solingen en breekijzers van het merk Messerschmidt. Ze zitten in dat pension in de Warmoesstraat omdat het goedkoop is. Soms, als ik niet kan slapen, hoor ik ze tekeergaan door de dunne wandjes heen. Kijk, twee slechte acteurs die het doen in een pornootje, daar is al niet naar te luisteren, maar twee junks die een poging wagen de geslachtelijke weg te gaan, ik verzeker je, als je dat hoort dan klim je de gordijnen in.

Ik liep al op de Rozengracht toen ik merkte dat ik m'n sleutelbos had laten liggen in de wagen van m'n baas. Dat is anders geen probleem maar nu was het vervelend want het pension ging na één op slot en dan had je een nachtsleutel nodig om binnen te komen en dat ding had ik aan de bos geschoven. Je kan je een ongeluk bellen, ze doen niet open. Ik stond daar dus even met mezelf te overleggen maar ik had weinig keus, ik moest terug als ik vannacht nog tussen de lakens wilde.

Terwijl ik weer in de richting van het parkeerterrein bij de Markthallen liep, zag ik mezelf echt zitten in m'n eigen rode Corvette, ik hoorde gewoon de acht cilinders grommen. Naast me zat Anita met een te gek kort rokje en ik zag zo d'r dijen en kuiten in zwarte netkousen en haar voetjes in zwarte naaldhakken. In m'n kop kon ik het allemaal aanraken, die zachte gladde panty's van haar. Ze zat te zingen, alleen voor mij. Ze zeggen wel eens dat de meiden van de Dots niet kunnen zingen, maar ik denk dat dat flauwekul is. Neem nou die Anita. Een meid met zo'n poes die miauwt de muizen uit hun holletjes, geloof mij maar.

Ik weet niet hoe dat nou komt, maar ik voelde gewoon iets toen ik bij de woonwagen van m'n baas was gekomen. Gek dat je zoiets voelt, alsof je het kunt ruiken of zo, alsof je nog ergens in je neus een plekkie van duizenden jaren geleden hebt waarmee je bloed ruikt, zoiets moet 't toch zijn. Ik weet het niet, ik werd opeens waanzinnig ongerust toen ik het trappetje opliep en op de deur wilde kloppen. Mijn rechtervuist wilde al op het hout tikken toen ik zag dat de deur openstond. Weet je, elke hondenlul beseft dan meteen dat er iets goed fout zit want niemand en zeker mijn baas niet laat om drie uur 's nachts de deur openstaan. Ik weet het niet, ik gooide de deur open en opeens vliegt er een klootzak op me af en voor ik het wist had hij me een klap voor m'n kanis gegeven en sneakt-ie langs me heen naar buiten. Kijk, dan kun je altijd met je ogen open lopen en elke messentrekker in de gaten houden, maar met zoiets hou je gewoon geen rekening, ik bedoel: 't gebeurt voor 't tot je doordringt en het kost je een paar seconden om jezelf bij elkaar te vegen. Weet je, en toen zag ik 'm liggen. Naast het salontafeltje lag dat dikke lijf van 'm op het Perzische tapijt en je zag meteen dat die nikker die net gevlogen was dat dikke hoofdje van 'm aardig tot moes had geslagen. Eén rooie blubbertroep was het, weet je wel, hij was met een hamer bewerkt en zijn hoofd was het aambeeld, om het eens netjes te zeggen. Maar hij leefde want hij kreunde en hij probeerde zich op te richten. Dus ik ga meteen naar hem toe en hij kijkt me aan met zijn dichtgeslagen varkensoogjes aan en hij mompelt met z'n opgezette lippen: 'Pak 'm Bob. Grijp 'm.'

Jongen, ik kon wel janken toen ik dat babyhoofdje van dichtbij zag. Mijn baas is echt niet de kwaaiste en het is gewoon niet eerlijk dat nou uitgerekend zijn koppie verfrommeld wordt door zo'n enge junk. Weet je, ik voelde me zo waanzinnig kwaad worden dat ik bij wijze van spreken met m'n blote handen gewapend beton aan gruzelementen kon slaan.

Ik spring de wagen uit en zie 'm in de verte gaan. Hij rent, maar ik ren harder. Je ziet 't aan zijn manier van lopen, hij is verslaafd. Zo'n smerige luis die de kermissen onveilig maakt en gewone gezinnen lastig valt, zo'n parasiet die vindt dat-ie de wereld mag plunderen omdat-ie niet buiten z'n shotje kan en nog beledigd is ook als hij na een roofmoord twee uur op het bureau heeft doorgebracht want hij vindt één uur wel genoeg, ik bedoel zo'n door de tering aangevreten en luizen aangebeten en door geelzucht en hongeroedeem verkankerd gluipertje dat lid is van de Junkiebond. Hij vlucht, maar ik vlieg harder. Ik hoor de lucht door zijn bek gieren, uitgeput probeert hij vooruit te komen, dan duik ik op hem. Ik geef hem geen kans, snoer meteen zijn strot af en laat hem naar zuurstof smachten. Ondertussen krijgt-ie een paar knietjes van me in zijn nieren, ik hou zijn strot in een klem en breek zijn neusbeentje en als ik voel dat-ie bijna out gaat laat ik 'm even happen en geef 'm dan een onwaarschijnlijke hengst tegen z'n kloten voor zover-ie die nog heeft. Hij krimpt in mekaar en dan sla ik de laatste verrotte tanden uit z'n bek, ik voel ze breken en uit z'n kaken barsten en ik zie in m'n kop m'n baas voor me en ik voel echt met hem mee want hij doet echt geen vlieg kwaad en ik sla deze klotejunk helemaal aan gort, weet je wel, ik punch die smerige kop van hem kapot en ram z'n strottenhoofd naar het paradijs en probeer dwars door zijn maag heen te slaan en verbrijzel z'n ballen en trap z'n knieën in een deuk en ik roep de hele tijd tegen mezelf: 'Swing Bob! Swing it out man!'

Jezus, die politiemannen moesten me echt van hem afsleuren, met z'n drieën kregen ze me bijna niet weg bij die rat. Echt, ik heb er geen spijt van, ik heb 'm helemaal uit elkaar geslagen, alsof-ie van plastic was.

Ik kom m'n tijd wel door, ik droom over Anita met d'r geile billen en over een Corvette met acht cilinders en m'n baas heeft voor een advocaat gezorgd die tegen me gezegd heeft dat ik er met voorwaardelijk wel vanaf kom en dat ze in de kranten over me schrijven en zo, dat ik een beetje een held ben. Dat ben ik echt niet. Ik ben gewoon een kermisjongen die veel ziet en hoort. Ik denk veel aan de *Swing Bob*. Later, als de *Swing Bob* van mij is, dan moet-ie op een echte kermis staan, weet je wel, een kermis zonder gokkramen en tuig, gewoon een kermis waaraan je denkt als je 'kermis' zegt, ik bedoel: gewoon iets moois.

De ochtend dat het niet op kon

REMCO CAMPERT

Het was maandagochtend en bitter koud. Diep blozend stond Dirk Veenman voor het loket van het postkantoor en bestelde tien postzegels van 75.

Naast hem was een vrouw bezig een kascheque in te vullen. Voor ze daarmee begon had ze even op haar vingers geblazen. 'Koud,' had ze tegen Dirk gezegd. Er was niets mee bedoeld. Zulke dingen zeiden mensen tegen elkaar als het koud was.

'Ja, lagen we maar lekker warm in bed,' had Dirk voor hij het wist geantwoord.

Daarom bloosde hij nu zo diep. Het was niets voor hem om zulke dingen te zeggen. Wel was het toen hij haar zag even door zijn hoofd gegaan dat ze aantrekkelijk was, maar dat betekende niets. Mannen hadden de gewoonte vrouwen in een snelle seconde te keuren op eventuele bedwaardigheid, wat helemaal niet wilde zeggen dat een goedkeuring ook gevolgen moest hebben. En aan platvloerse opmerkingen had Dirk een grote hekel. Hoe deze hem had kunnen ontsnappen was hem een raadsel. Was hij toch vulgairder dan hij dacht?

Hij was nooit een held geweest in het veroveren van vrouwen. Er schenen mannen te zijn die daar heel brutaal in waren. Die spraken wildvreemde vrouwen op straat aan en nog geen half uur later lagen ze ermee in bed. Als je hen mocht geloven, lukte dat heel vaak. Vrouwen hadden een zwak voor vrijpostige mannen, beweerde men.

De vrouw was klaar met het invullen van haar cheque en wachtte tot hij had betaald. Dirk voelde dat ze naar hem keek. Misschien was het beter als hij haar zijn excuses aanbood voor zijn familiariteit, bedacht hij ongemakkelijk. Maar daar kreeg hij geen tijd voor.

'Dat vind ik wel een goed idee,' zei ze toen hij plaats aan het loket voor haar maakte.

Paniek maakte zich van hem meester. Wat moest hij doen? Het liefste nam hij nu zeer snel de benen, maar dat zou wel erg onbeschoft zijn. Terwijl de lokettist haar afhandelde – die uitdrukking kreeg opeens een obscene betekenis – wierp de vrouw een blik over haar schouder en lachte hem toe. Nu kon hij echt niet meer weg. Vervuld van tegenstrijdige gevoelens wachtte hij tot ze klaar was – weer zo'n uitdrukking!

Gezamenlijk verlieten ze het kantoor. Hij liet haar voorgaan. Misschien raakte hij wel op de een of andere manier beklemd in de draaideur en brak hij iets. Maar nee, heelhuids stond hij even later met haar op straat. Nu moest hij zeggen dat het maar een grapje was geweest, een losse opmerking waarmee hij niets had bedoeld, maar de woorden kwamen hem niet over de lippen.

'Brrr,' huiverde ze en ze keek hem afwachtend aan.

Hij zou kunnen beweren dat hij naar zijn werk moest maar zelfs om bestwil kon hij niet liegen. Nu ja, misschien was dat een beetje gelogen. Maar er was nog iets heel anders aan de gang: hij voorvoelde dat hij er spijt van zou krijgen als haren op zijn hoofd als hij geen gebruik zou maken van deze hem op een presenteerblaadje aangeboden gelegenheid.

'Woon je hier ver vandaan?' vroeg ze.

Hij zou bevestigend kunnen antwoorden, maar wie

weet zou ze hem vragen wat hij dan speciaal in dit postkantoor deed en dan zou hij iets ingewikkelds moeten verzinnen en daar ontbrak de tijd voor. Trouwens, terwijl hij dit razendsnel overdacht had zijn mond al gesproken.

'Nee, om de hoek,' zei hij.

'Hoe heet je?' vroeg ze.

'Dirk,' antwoordde hij met het gevoel dat er nu geen terugkeer meer mogelijk was. Er wilde geen andere naam dan zijn eigen naam in hem opkomen. Als hij ooit gearresteerd zou worden, dan zou hij onmiddellijk doorslaan, dacht hij.

'En jij?' vroeg hij.

'Molly.'

Molly. Tja, waarom niet?

'Hier is het,' zei hij en hield halt voor zijn huis en kon van de zenuwen zijn sleutels niet zo gauw vinden.

Andrea, met wie hij de voordeur en het bed deelde (maar dat mocht de sociale dienst niet weten) was naar haar werk voor halve dagen in de bibliotheek. Dirks werk bestond al bijna een jaar uit het schrijven van sollicitatiebrieven.

'Zal ik koffie zetten?' vroeg hij toen ze binnen waren. En terwijl hij koffie zette zou hij conversatie moeten maken en waar zou die in 's hemelsnaam over moeten gaan?

'Koffie?' vroeg ze verbaasd. 'Nou nee, nu niet.'

Stomme vraag dus.

'Laten we maar lekker warm in je bed gaan liggen,' kwam ze ter zake.

'Oké,' zei hij, met het gevoel dat hij vrijwillig maar tegen zijn zin van het dak stapte.

Molly. Terwijl Dirk haar voorging naar de slaapkamer kwam hem tot zijn niet geringe schrik plotseling het beeld voor ogen van die andere Molly, die Commissaris van de Koningin in Gelderland was. Nou, daar was het dan wel mee bekeken. Nooit van zijn leven zou hij hem meer overeind kunnen krijgen.

'Wil je eigenlijk wel?' vroeg Molly. Ze scheen iets van zijn twijfels te vermoeden. Ze was op de rand van het bed gaan zitten en stond op het punt haar schoenen uit te trekken.

Hij knikte manmoedig en probeerde enig enthousiasme in zijn blik te leggen. Traag ontdeed hij zich van zijn jasje.

'Ben je getrouwd?' vroeg ze.

'Zoiets ja,' antwoordde hij. 'Ik woon samen.'

Wat klonk dat truttig! Alsof hij met een oude tante huisde, in plaats van met zijn grote liefde, de jonge, springlevende Andrea!

'Wil je liever dat ik wegga?'

Hij schudde zijn hoofd. Hoe zou hij zichzelf ooit nog onder ogen durven komen als hij haar nu liet gaan. Voor de rest van zijn leven zou hij zich als een man voelen die op het beslissende moment het avontuur niet had aangedurfd, een bange huismus, iemand die wel van zulke situaties droomde, maar die als puntje bij paaltje kwam van de daad terugschrok.

'Kom dan,' zei Molly. Dirk ging naast haar zitten op de rand van het bed. Ze omhelsden elkaar. Toen hij haar warme vochtige mond voelde en hun tongen elkaar beproefden, loste de gestalte van de Commissaris van de Koningin in het niets op. Ze wisten niet hoe gauw ze uit hun kleren moesten komen.

De eerste keer ging het veel te haastig en opgewonden, maar de tweede keer hadden ze hun ritme gevonden. Daarna lagen ze een tijdje zwijgend in elkaars armen, alsof ze elkaar al jaren kenden – hoewel nee, dan hadden ze zich waarschijnlijk omgedraaid. Opnieuw begon Molly hem te strelen en wist hem warempel tot een derde keer te bewegen, hetgeen een mierzoete sensatie in hem teweegbracht, alsof zijn zaad door een heel dun rietje werd geperst.

Hij keek op het wekkertje dat naast het bed stond. Halftwaalf. Andrea kwam doorgaans om halfeen thuis. Zou je zien dat ze juist vandaag eerder van haar werk terugkwam, hoewel ze erg gewetensvol was en vaak haar ergernis uitsprak over haar collega's in de bibliotheek, die het niet zo nauw met hun werkuren namen. Opeens behoorlijk zenuwachtig drukte hij snel een kus op Molly's nog bezwete buik en stapte het bed uit.

'Hoe laat is het?' vroeg Molly.

'Over halftwaalf.'

'O jee, dan moet ik weg.'

Dirk herhaalde zijn eerder gedane aanbod om koffie te zetten, maar daar had ze geen tijd meer voor, zei ze tot zijn opluchting. Zwijgend, maar niet ontevreden, kleedden ze zich aan, als twee mensen die samen een karwei tot een goed einde hadden gebracht.

Terwijl hij haar in de gang in haar jas hielp (met, na wat er gebeurd was, een wonderlijk soort afstandelijke hoffelijkheid) zei Molly: 'Nou Dirk, dit was zeer bevredigend.'

'Het was fantastisch,' beaamde Dirk.

'Voel je je nou schuldig?' vroeg Molly. 'Tegenover je vriendin?'

Dirk dacht erover na.

'Nee, eigenlijk niet,' zei hij. 'Maar misschien komt dat nog.'

'Je lijkt me er wel het type voor,' zei ze. 'Een beetje zorgelijk.'

'Maak ik die indruk?'

Ze knikte.

'Misschien heb je gelijk,' zei Dirk. 'Weet je wat ik een raar idee vind? Dat we met elkaar naar bed zijn geweest en dat ik niets van je weet.'

'Niets? Je weet nu meer van me dan de meeste mannen.'

'Ja, maar ik bedoel wie je bent, wat je doet en zo.'

'Dat is toch mooi. De geheimzinnige onbekende in de ochtend.'

'Ik hoop dat we elkaar nog eens zien. Kunnen we niet een afspraak maken of kan ik je ergens bereiken?'

'Misschien moet je nog wel eens postzegels kopen,' zei Molly, kuste Dirk en was weg.

Met een gevoel van hilarische vrolijkheid plofte Dirk op de bank in de zitkamer neer. Wat een ochtend! De week was deze keer wel uitzonderlijk goed begonnen. Dat was nog eens iets anders dan sollicitatiebrieven schrijven, die moedeloos makende routine, die zinloze daad die de sociale dienst van hem verlangde, zodat de dienst en hij de schijn konden ophouden dat ze 'positief' bezig waren. Hij had het idee een nieuw leven begonnen te zijn. Hij zou in het vervolg niet meer bij de pakken neerzitten, maar erop uitgaan. Ter plekke nam hij het besluit nooit meer een sollicitatiebrief te schrijven, een handeling die eigenlijk meer een bevestiging was van de situatie waarin hij sinds bijna een jaar verkeerde dan een middel om uit die situatie te komen.

Hij wreef over zijn buikspieren die een beetje pijn deden. Het was een zoet gevoel. Hij wist dat hij leefde, wat hij niet altijd van zichzelf kon zeggen. Geen kwaad woord over het slapen met Andrea, maar als hij eerlijk was moest hij zichzelf bekennen dat hij in tijden niet zo lekker had gevrijd. Drie keer! Hij moest ver in zijn seksuele geschiedenis teruggaan om zich een gelijkwaardige erotische ervaring te herinneren.

Zou Molly dit nu vaak doen, vreemde mannen oppikken? Hoewel: wie had eigenlijk wie opgepikt? Goed beschouwd hadden ze elkaar opgepikt. Oppikken, naar woord. Misschien deed ze het wel elke dag. Misschien lag ze nu alweer met een ander in bed. Het idee wond hem op. Het idee dat elke dag onbekende mannen haar met de blanke sabel...

Met de blanke sabel! Zijn hart stond even stil van schrik, bonkte toen verder. O nee... wat ongelofelijk stom. Geen condoom gebruikt! Met een wildvreemd mens naar bed geweest en hij had zich, als een kamikaze van de seks, niet beschermd tegen de ziekte waar al sinds jaren de kranten vol van stonden. Het gevreesde woord vormde zich met trillende letters in zijn mond: aids! Waar had zijn verstand gezeten? En het hare! Een vrouw als Molly, die het met iedereen deed – want daar ging hij nu maar even van uit –, zou toch eigenlijk condooms bij zich moeten hebben. God weet hoeveel mannen ze al had aangestoken.

Wat Dirk betreft, hij gebruikte nooit condooms, maar dat was ook niet nodig. Andrea ging nooit vreemd en hij ook niet. Behalve deze ochtend dan – en meteen was het raak. Nu ja, dat hoefde natuurlijk niet zo te zijn, maar zelfs de kleinste kans om de dodelijke ziekte op te lopen had natuurlijk vermeden moeten worden. Inwendig kermde hij. Wat was hij een boerenkaffer geweest en hoe moest het nu verder. Hij kon toch moeilijk bij het vrijen met Andrea opeens met een condoom voor de dag komen. Dan begreep ze meteen dat er wat gebeurd was. Of erger nog, ze zou denken dat hij haar van ontrouw verdacht. Moest hij eerlijk alles opbiechten? Daar zag hij tegenop.

Toen Andrea en hij elkaar pas kenden, hadden ze afgesproken om eerlijk te zijn over deze dingen. Nietwaar, het kon voorkomen dat je met een ander in bed belandde en dat hoefde niet zo'n drama te zijn, mits je maar open was tegen elkaar. Geen stiekem gedoe, dan was je echt verkeerd bezig. Nu zich echter de gelegenheid aanbood om de geldigheid van de theorie proefondervindelijk te bewijzen, zonk Dirk de moed een behoorlijk eind in de schoenen.

Bijna halfeen.

Hij ging naar de keuken om eindelijk koffie te zetten. Moedeloze gedachten bestormden hem. Was hij een keer spontaan, werd dat meteen afgestraft. De kans dat hij ten dode was opgeschreven was statistisch gezien wel niet zo groot, maar toch aanwezig. Er zat niets anders op dan dat hij zijn bloed liet testen en zich, zolang hij geen zekerheid had, van geslachtelijk verkeer met Andrea onthield. Want zo noemde hij het vrijen opeens: geslachtelijk verkeer. Wat een enge, gevaarlijke bezigheid was het eigenlijk!

Maar welk excuus kon hij aanvoeren om het niet te doen? Geen zin? Dan zou ze juist denken dat er iets was: dat hij haar niet meer aantrekkelijk vond of dat hij een ander had ontmoet. Nou ja, gewoon, een mens kan toch weleens geen zin hebben. Hij was toch geen machine die altijd maar klaarstond.

Zo liep hij zich inwendig te verdedigen, toen hij de voordeur hoorde opengaan.

'Joehoe,' klonk Andrea's stem opgewekt.

'Ha, schat,' riep hij. 'Ik ben net koffie aan het zetten.'

'Ik ben bevroren,' zei Andrea, terwijl ze de keuken inkwam. 'Wat *is* het koud.'

'Ja, dat heb ik gemerkt,' zei Dirk. 'Ik was even naar het postkantoor. Om postzegels te kopen. Ik was blij dat ik weer binnen was.'

Wat een hypocriet gebabbel!

'Tot overmaat van ramp was de verwarming in de bibliotheek stuk,' zei Andrea. 'Ik was bijna eerder weggegaan.'

Terwijl hij water op de koffie goot, drukte ze zich van achteren tegen hem aan en sloeg haar armen om hem heen.

'Weet je waar ik in die kou de hele ochtend aan gedacht heb?' vroeg ze met een wulpse toon in haar stem. Haar hand gleed over zijn buik naar beneden.

'Nee,' zei hij en hief onzichtbaar voor haar zijn ogen smekend ten hemel.

'Dat ik lekker warm met jou in bed lag,' zei ze en schurkte zich tegen hem aan.

'O ja?' bracht hij angstig uit.

Met zachte dwang trok ze hem weg van het gasfornuis.

'Kom mee,' zei ze. 'Ik heb ontzettend zin om met je te vrijen.'

'Wil je geen koffie?' probeerde Dirk nog, met het gevoel dat in het negatieve de geschiedenis zich herhaalde.

'Nee,' zei Andrea. 'Ik wil iets anders.'

Ze duwde hem voor zich uit naar de slaapkamer. Hij schraapte zijn keel. Voor ze het bed bereikten moest hij haar zeggen dat hij niet zoveel zin had.

De sleutels

HERMINE DE GRAAF

Voor ze het huis verliet, had ze lang nagedacht op de rand van het bed in de keurig opgeruimde slaapkamer. Haar sombere kijk op de loop der dingen zou ze zeker niet aan Johan vertellen die er de kriebels van kreeg als zij liet merken dat ze in staat was tot nadenken. Ze wist niet hoe het kwam dat ze zo goed met elkaar konden opschieten. Eerst was ze in een grote boog om deze probleemstelling heen gelopen en toen had ze de cirkels kleiner gemaakt. Ze had de zaak, nou ja het probleem omsingeld en haar armen er omheen geslagen om tot de kern door te dringen. Een aantal omstandigheden van onvoorziene aard, het leek een geheim. Ze grijnsde en trok de sprei van het bed recht.

Mannen benaderde ze op een zelfde manier. Niet uit naastenliefde maar uit pure nieuwsgierigheid omsingelde en omarmde ze hen om tot de kern door te dringen.

Ze duwde de halfgeopende deur met haar voet open en pakte haar jas. 'Ik ben geen genie, zoveel is wel zeker, maar dom ben ik allesbehalve,' mompelde ze terwijl ze haar jas dichtknoopte. Ze stond op het punt naar het postkantoor te lopen en boodschappen te gaan doen in het gezellige winkelcentrum. Ze had zichzelf plechtig beloofd iets te eten voor ze ging, want anders laadde ze haar wagentje te vol met voedingsmiddelen in bontgekleurde dozen en zakjes.

In de keuken smeerde ze een paar crackers en liep

etend de kamer binnen, de kruimels vielen op haar jas. Ze schakelde het antwoordapparaat van de telefoon in. Als ze Johans boodschappen niet wist op te vangen keek hij 's avonds onverschillig langs haar heen om dan plotseling op te merken: 'Waar was je? Altijd als ik je iets belangrijks te zeggen heb, ben je weg.'

'Wat wilde je me vertellen?'

'Ja, hoor eens, nu heb ik er geen zin meer in. Het klinkt misschien pompeus maar een vrouw hoort er te zijn als een man haar nodig heeft.'

'Johan, je bent een wandelend anachronisme.'

'Waarachtige liefde is altijd bezitterig, anders is er iets fundamenteels verkeerd. Neem dat maar van mij aan.'

'Wat een onzin.'

'Je onwetendheid in dit soort zaken is nog geen reden om aan te nemen dat mijn liefde voor jou onzinnig is.'

'Denk je?'

'Zeker weten.'

Ze zou haar armen om hem heen moeten slaan en hem vol op de mond kussen om een einde aan het nutteloze, maar ook wrede gesprek te maken. Ze kuste goed en efficiënt. Haar snelheid maakte een verbijsterende indruk op de stilstaande Johan. Snelheid was verleidend; een overrompelende actie die hij met wijd opengesperde ogen gadesloeg. Uit ervaring wist ze dat ze daarna zelf overrompeld zou worden en steevast uit de kleren moest, maar bij Johan liep het anders. Ze kreeg bij hem het gevoel dat ze op een toneel voor een decor stonden, elkaar aanstaarden omdat ze hun tekst kwijtwaren. Ze hield niet van die vervreemding en daarom schakelde ze het antwoordapparaat in.

Ze drentelde de kamer door, vouwde een krant op en zette een vaas recht. De glazen wanden van de bungalow leken door het ochtendlicht van parelmoer. De grasmat in de tuin was kortgeschoren en in de manshoge hagen die het terras uit de wind hielden, nestelden vogels. De zwarte kater van de buren sloop door de bloemperken. Ze tikte met haar ring tegen het glas en het dier schoot weg.

De telefoon ging over en aangesproken door de urgentie van het rinkelen liep ze naar het toestel en keek hoe het bandapparaat de woorden opsloeg. Elk gesprekje zou op een mislukking uitlopen, omdat zij zelf niets positiefs of opbeurends bij te dragen had. Ze moest voorkomen dat haar toch al achterdochtige uitlatingen van de laatste tijd niet volkomen verkeerd zouden worden uigelegd. Vooral door Johan niet. Soms was spreken extreem moeilijk. Ze zou, wanneer hij 't was, de boodschap afluisteren en terugbellen als ze weer snel en alert was en interesse kon tonen. Ze weigerde zelfs met een van haar vriendinnen te spreken, met Margreet of Brenda die toch experts in hartsgeheimen waren. De kwestie was misschien eenvoudiger dan ze dacht, ze zouden haar uitlachen.

Ze draaide de voordeur in het nachtslot en liep over het tuinpad, maar bleef halverwege geschrokken staan, ze zette de geruite boodschappentas neer waarin de grove, bruine enveloppen zaten die ze voor Johan op het postkantoor moest afgeven. Voetafdrukken in de aangeharkte aarde. De voetsporen liepen om het huis heen en over het grasveld naar het terras. Het gras was geplet en er lagen sigarettenpeukjes. Visitekaartjes, dacht ze, wiens visitekaartjes zouden dit zijn. Ach onzin!

Ze speurde de omgeving met haar ogen af en voelde

paniek als een bliksemschicht langs haar ruggengraat naar haar billen afdalen. Haar voetzolen begonnen te tintelen en ze kreeg het warm. Ze bekeek de schoenafdrukken nauwkeuriger en schatte dat het de schoenmaat van een vrouw moest zijn. Een vrouw, dat is toch onwaarschijnlijk. Dat een vrouw om het huis loopt, heeft toch geen zin. Geen enkele logica; wat valt er te kijken!

Ze boog door haar knieën, raapte een peukje op en rook eraan. Een vrouw! Vrouwen putten geen enkele bevrediging uit kijken. Dat is een stelregel. Ja, platvloerse nieuwsgierigheid, die kennen ze natuurlijk als geen enkele man. Alles wat er te zien is, zijn voetstappen, een beetje geplet gras en peukjes. Ze hebben gelijk, ik sta te open voor indrukken, ik heb er geen verweer tegen en mijn fantasie slaat op hol.

'Als je zo piekert, vind ik je niet aardig,' had Johan op een avond tegen haar gezegd. 'Laten we er geen doekjes om winden, je behoort eigenlijk gelukkig te zijn.'

Het had haar monsterachtig in de oren geklonken.

'Je moest eens niet zoveel lezen en meer met je gedachten bij mij en het huis zijn.'

'Als jij weg bent, lees ik elke vrije minuut om de tijd te overbruggen, dat is toch zo erg niet. Van lezen is nog geen mens slechter geworden.'

'Van lezen krijg je denkrimpels en als ik ergens een hekel aan heb, zijn het rimpels. Jij wilt later toch niet zo'n verschrompeld appeltje worden. Is het wel?'

Johan was streng en als ze voortaan een boek pakte, voelde ze zich bespied, overal ogen die bestraffend en verwijtend op haar waren gericht.

Ze viel bijna om, maar herstelde haar evenwicht en stond op. Stel je voor dat zij in hurkhouding betrapt zou worden door de buren. Zij zouden kunnen denken dat zij stiekem een plas zat te doen in haar eigen tuin.

De voetsporen rond het huis gaven nieuw voedsel aan haar achterdocht. Op het postkantoor kocht ze postzegels en gooide de enveloppen in de bus, in de supermarkt kon ze niet beslissen wat ze zou kopen. Diep in gedachten verzonken reed ze met haar wagentje tegen een winkelbediende aan, die bestraffend zijn hoofd schudde.

'Iets makkelijks dat zo in de oven kan,' mompelde ze.

'We moesten maar eens naar mijn huisje aan zee gaan, dan kan de frisse wind al die idiote gedachten uit je hoofd blazen. Je zult zien dat het helpt,' had Johan gezegd.

'En jouw hoofd dan, moet dat niet doorgeblazen worden?' had ze onschuldig gevraagd.

'Mijn hoofd zit vol met getallen en cijferkolommen en niet boordevol krankzinnige denkbeelden uit boeken.'

'Waarom spot je zo met mijn weetgierigheid?'

'Omdat ik het beschouw als tijdverspilling, waar je bovendien vroeg oud van wordt.'

Bij elk boek dat ze na dit gesprekje uit de bibliotheek leende, voelde ze haar geweten zwaarder drukken. Ze probeerde over Johans ideeën na te denken, maar om moeilijkheden te voorkomen, verstopte ze haar boeken voor hij thuiskwam in de linnenkast.

De wind had de wolken uit elkaar geblazen en er verschenen grote stukken staalblauwe lucht. Ze knielde voor het telefoontoestel en luisterde het cassettebandje af. 'Jammer dat je er weer eens niet was, want ik heb geweldig nieuws, al aarzel ik het je te vertellen omdat je mijn plezier bedorven hebt. Waar zit je toch de hele dag? Of ben je soms te lui om de telefoon aan te nemen. Maar goed om het allemaal niet nog spannender te maken, wil ik je zeggen dat mijn plan om naar zee te gaan nu vastomlijnd is. We gaan er vanavond heen en maken er niet zo'n volksverhuizing van. Vrouwen zijn daar dol op, maar ik houd er helemaal niet van. De sleutel van het huisje zal vandaag nog bij je afgegeven worden. Blijf op je post. Over en sluiten.'

Ze schaamde zich omdat ze geen spoortje enthousiasme bij zichzelf kon ontdekken. Ze besloot Brenda, zijn ex-vriendin, te bellen. Brenda had Indisch bloed en daarom heette ze Brenda. Ze vond 't een beetje een hoerennaam. Ze draaide het nummer en zonder dat zij haar naam noemde, nam Brenda aan dat zij het was.

'Is alles goed met je?'

'Een beetje zenuwachtig, dat is alles.'

'Dan moet je een groot glas koud water drinken, dat doe ik ook altijd.'

'En zeker mijn kop onder de koude waterstraal steken.'

'Is het zo erg? Kun je het nog wel met hem uithouden.' Er klonk bezorgdheid in haar stem.

'Best hoor. Had je anders verwacht?'

'Hij kan uiterst moeilijk in de omgang zijn.'

'Jij kan het weten.'

'Die jongen krijgt alles wat hij hebben wil.'

'Hoor ik een zweem van jaloezie in je stem?'

'Niet op hem en op jou al helemaal niet.'

Ze liet zich beduusd achterover tegen de bank glijden en hield haar ogen wijd open naar het plafond gericht.

Na een korte stilte voegde Brenda eraan toe: 'Leer mij Johan kennen, toen ik hem van Margreet overnam, was er al geen land met hem te bezeilen en ook ik heb hem niet kunnen opvoeden. Zal ik naar je toe komen om je hand vast te houden en je vertellen hoe jij je gedragen moet, want de minste gril maakt hem al uitzinnig van woede.'

'We gaan naar de kust om uit te waaien. Hij schijnt daar een huisje te hebben.'

'Daar weet ik alles van.' Brenda struikelde over haar woorden waardoor er iets onuitgesproken beklemmends in hun gesprek sloop. 'Ik weet er alles van. Een weekend aan zee. Zo'n weekend is aan strikte voorwaarden gebonden. Mooi zijn; overdag een trui, een broek en kaplaarsjes aan en 's avonds in zwart ondergoed op een kleedje voor de open haard. Oervervelend die jarretels!' Zo praatte ze nog een tijdje door, maar legde meer rust in haar woorden.

Ze kon zichzelf wel voor de kop slaan dat ze uiteindelijk niets over de voetsporen rond het huis had gezegd, ze had weer de kans voorbij laten gaan om haar hart te luchten. Haar gedachtestroom zou haar vast overspoelen, nu er geen levende ziel was om mee te praten. In huis was het stil en ze schoof de tuindeuren even open, keek hoe de wind de vitrage opbolde en luisterde naar het vrolijk gekwetter van de vogels. Sinds haar gedachten geen bedding meer hadden, stroomde haar energie niet meer... Lusteloos rookte ze de ene sigaret na de andere en kon niet tot een besluit komen.

'Er wordt hier niet gehuild,' viel Johan soms kwaad uit. 'Het maakt het gezicht lelijk en treuren stelt niets voor omdat je er geen stap mee opschiet.'

Als haar onderlip begon te trillen vluchtte ze de badkamer binnen om buiten schot te blijven. Geen rimpels, geen verschrompeld appeltje worden, alsjeblieft niet; als het velletje maar strak is en glimt, geen vuiltje aan de lucht. De ijzeren vuistregel van hun vriendschap. Maar was een boek uitgelezen, stond de vaat op het afdruiprekje te drogen en was er in huis niets maar dan ook niets meer te doen, dan begroef ze zich onder een stapel dekens en kussens om te huilen en leek totaal vergeten dat zij kon gaan als zij dat wilde.

Ze bleef denken aan al die keren dat zij zich voor hem had uitgekleed. Heel langzaam en onzeker voor ze bij hem in bed mocht kruipen. Haar armen als slagbomen voor haar borst gekruist. Iedere keer waren de gordijnen die niet goed wilden sluiten niet helemaal toegeschoven geweest. De kamer baadde in het gele lamplicht en dan sloeg Johan voor ze er iets over kon zeggen zijn armen om haar heen.

'Nee Johan, eerst...'

Het licht wilde hij ook niet uitknippen. Binnen was het lichter dan buiten en ze kreeg het gevoel in een etalage te liggen. Hij hield haar in een zeldzame greep gevangen, die haar de adem benam en die hij verstevigde zodra de voorstelling eenmaal op gang was gekomen. Ze kon geen vin verroeren, ze mocht geen vin verroeren, want dat viel bij Johan in de smaak. Ze gaf zich volledig gewonnen om hem enkele momenten van hartstocht te gunnen. Haar eigen inschikkelijkheid verbaasde haar; ze maakte een vrije val, er volgde een plons in zwoel warm water en ze draaide met haar hoofd om naar lucht te happen. Vanuit haar ooghoeken door de spleet van het gordijn zag ze twee laarsjes met een gele bies. De figuur erboven werd opgeslokt door de duisternis.

'We worden bespied,' zei ze met doffe stem, 'er loopt een gluurder om het huis.'

'Bederf het nou niet en doe me een plezier je mond te houden. Ga maar op je buik liggen dan zal ik je rug masseren, daar word je rustig van.'

Als zij ooit zou worden afgedankt – en zoiets kon in een handomdraai gebeuren – dan zou 'gewilligheid' onmiskenbaar in zijn eindbeoordeling een paar keer voorkomen. De laatste weken probeerde ze erachter te komen wat Johan haar nu eigenlijk duidelijk wilde maken. Na afloop viel hij als een blok in slaap en de spleet in het gordijn onthulde niets meer dan een nachtelijke duisternis.

Voor alle zekerheid ging ze een koffer uit de gangkast halen. Ook op het gebied van koffers pakken zou hij nooit een volmaaktere opvolgster vinden. Inpakken had een zekere allure, er werd iets voorbereid, dat opwindender was dan de reis zelf, bij aankomst volgde dan de teleurstelling, omdat je, zoals haar moeder vroeger zei 'altijd jezelf meenam'.

Even overwoog ze de huisapotheek in te pakken, maar verwierp het plan, ze vreesde uitgelachen te worden. Zijn gelijkhebberigheid kende geen grenzen, dat hij met haar naar de kust wilde was verbazingwekkend want hij hield niet van golven en zand, elk rimpeltje of oneffenheidje verafschuwde hij.

Ze vouwde jumpers en rokken in de koffer, de kaplaarzen schoof ze in plastic hoezen. Een geruite blouse leek ook wel passend voor een wandeling langs de vloedlijn. Een meisje in haar proeftijd, dat samen met een vriend over de vloedribbels van het strand liep. Waterdeeltjes in de lucht, een vage zon die afgedekt leek door de slip van een doorzichtig hemdje. Rode wollen sokken uit een lade pakken, een onflatteus vest, dat helemaal niet bij een proeftijd paste. Meer iets voor een wat oudere, kouwelijke vrouw. Een lang kersenrood nachthemd dat hem beslist niet zou bevallen, alsof er een persoonlijke dreiging van dergelijke kleding uitging. Een zonnehoedje dan? Ja, dat was een goed idee, dat zou Johans goedkeuring wegdragen. Nee, het zou hem versteld doen staan.

De koffer sloot moeilijk, ze moest er met haar volle gewicht op gaan zitten om de sloten dicht te klikken. Ze hoorde iets buiten in de tuin en hield haar hoofd scheef om beter te kunnen luisteren. Waren de ramen en deuren gesloten? Een koude windstroom, de vitrage in de kamer bolde op, de terrasdeuren werden langzaam opengeschoven. Het verbaasde haar nauwelijks, om een onverklaarbare reden voelde zij zich zelfs opgelucht. Ze deed even haar ogen dicht en wachtte.

'Ik kom toch maar eens een kijkje nemen, lieve schat.'

Ze keek door haar oogharen naar de gestalte en was er trots op dat ze geen weekhartigheid in het bijzijn van een getuige had getoond.

'Waarom kun je in vredesnaam de voordeur niet gebruiken!'

'Ach, je weet het toch. Kind aan huis.' Brenda knipoogde. 'Ik heb hem al zo vaak uitgelegd dat je deze deur heel makkelijk van buiten kunt openmaken. Als je het foefje eenmaal kent is het kinderspel. Maar hij wil niet luisteren.' Ze liet zich op de leren bank vallen en spartelde met haar benen van plezier. 'Heb je al koffie, of ben je te druk met pakken.'

'Mijn koffer is klaar, alleen die van hem...'

'Nooit doen,' onderbrak Brenda haar. 'Als je zijn koffer pakt wordt hij kwaad.'

Ze liep naar de keuken om het koffiezetapparaat te

vullen en in te schakelen. Het gaf haar tijd om na te denken. Brenda toonde geen spoortje jaloezie of een glimpje afgunst, zoiets is toch te mooi om waar te zijn. Voorbeeldige vriendinnen. Opgevoed door Johan. Nee, niet de sfeer verpesten, nooit het plezier van een ander bederven. Niet doen. Ze probeerde zich de zee voor te stellen; oneindig uitgestrekt, kabbelende golfjes tegen het strand. De zon hing roestkleurig in het luchtledige.

Brenda kwam de keuken binnen en vroeg met een wonderlijk hoge stem: 'Heb jij je hoerenkleertjes wel meegenomen?'

'Wat moet ik meegenomen hebben?'

'Hou je niet van de domme, zoals wij allemaal weten houdt hij van zijden ondergoed. Anders is straks het huis te klein.'

'Als daar zijden lakens zijn, zou ik met dat ondergoed pardoes het bed uit kunnen glijden.' Ze keek Brenda recht in haar gezicht.

'Doe niet zo achterlijk, wil je?'

Ze pakte de kopjes uit de kast en zette ze op tafel tussen de suikerpot en het melkkannetje.

'Je moet hem geen reden geven om boos te worden.' Brenda sloeg in een opwelling van zorgzaamheid de armen om haar heen en fluisterde in haar oor:

'Nieuwsgierigheid is mijn handelsmerk, hier is de sleutel.' Brenda liet haar los en maakte een onderdanige buiging. 'Wij meisjes, hebben een instinct voor narigheid en zijn dol op tumult en sensatie, dat is onze enige zwakke plek. Jij hebt toch zin om te gaan?'

'Zou jij zin hebben?'

Op hetzelfde moment werd er op het keukenraam geklopt en ze draaide zich geschrokken om. Brenda zwaaide enthousiast naar Margreet en deed de deur open.

'Wat gezellig hier, net een reünie. Je hebt toch geen spijt dat je zijn vriendin geworden bent. Zijn vrouw, zoals Johan het zo plechtig weet uit te drukken.'

'Ik dacht dat we vriendinnen waren,' zei ze ontwijkend en vulde de thermoskan met koffie.

'Zijn we ook.'

Ze hoorde de vrouwen die naar de kamer gingen lacherig zeggen: 'Binnen is het warmer dan buiten.'

'Niets maar dan ook niets mag aan het toeval worden overgelaten. Heeft ze het ondergoed ingepakt?'

'Ze zegt van wel.'

'Het huis ziet er nog precies zo uit als toen ik het verliet.'

'Ja, wat dacht je, niemand mag er van hem een persoonlijke toets in aanbrengen.'

Ze zette de schaal met koekjes op tafel en Brenda en Margreet aten het ene koekje na het andere.

'Wat eten jullie schielijk,' zei ze verbaasd.

'Ja, wij hoeven niet op onze buikjes te letten,' zei Margreet en viel lachend tegen Brenda aan.

'Wat bezielt jullie toch!'

Brenda zweeg, maar Margreet zei vrolijk: 'We komen je een hart onder de riem steken, en voor ik het vergeet, hier is de sleutel van het buitenhuisje.'

'Maar die heeft Brenda me net gegeven!'

'Wat maakt het uit, dan heb je er twee, een voor het verlies.' Ze moest wat tijd winnen om haar verwarde gedachten op orde te brengen en vroeg zo neutraal mogelijk: 'Is het een aardig huisje?'

'Reuzeleuk; een snoepje van een bungalow,' riepen de twee vrouwen in koor.

'Ik hoop dat het weer meezit.' Ze wist zich geen raad.

'Het weer zit altijd mee,' zei Brenda. En Margreet viel haar bij: 'Aan de kust is het altijd mooi.'

'Ik snap jullie niet.' Ze voelde dat haar onderlip begon te trillen.

'Leg jij het maar uit, Margreet. Jij hebt de oudste rechten en het beste overzicht.'

'Welnu,' zei deze plechtig, 'er is niets om jezelf voor de kop te slaan. Een man van achter in de dertig had verschillende vriendinnen die hij stuk voor stuk aanbad. Hij is charmant, innemend en vrijgevig, maar ook een beetje een ijdeltuit die er heel wat voor over heeft dat niemand zijn achilleshiel ontdekt. Er zijn duizenden van dat soort mannen op de wereld en evenzovele vrouwen die voor hun charme door de knieën gaan. Dat is het geheim.'

'Wat voor geheim?'

Brenda stootte Margreet aan, ze stonden op en kusten haar op beide wangen. Ze verzekerden haar dat alles op zijn pootjes terecht zou komen. 'Trek het je niet aan!'

'Ik begrijp echt niet waar jullie heen willen met dat wijvengeklets.'

'Gewoon naar huis en jij gaat met vakantie, geniet er nou maar van,' zei Brenda.

Ze gooide de deur met een klap dicht en prevelde: 'Een verbond kun je net zo makkelijk verbreken als sluiten. Laat ze dat maar goed onthouden.'

Johan kwam thuis en ze zette de aluminium bakjes lasagne in de voorverwarmde oven. Ze strooide een pakje instantsoep in een pan met handwarm water. Hij stak zijn hoofd om de deur en hield een sleutel aan een koordje omhoog.

'Wat is dat nu weer,' vroeg ze kribbig.

'De sleutel van het zomerhuisje.'

'Ik heb er al twee.'

'O ja?' En hij wierp haar zijn stralendste glimlach toe. 'Denk je dat ik voor het eten mijn koffer nog kan pakken?'

'Over twintig minuten is het eten klaar.'

'Dan pak ik even, ik ben reuze benieuwd hoe het huis eraan toe is. Ik ben er in geen tijden meer geweest.'

'Sinds je mij kent.'

'Dat is zo.'

'Het is anders wel gebruikt. Je vriendinnen hebben me hun sleutels gebracht.'

'Je moet niet zo snel achterdochtig zijn.'

'Dat ben ik niet.'

'Wat hoor ik dan in je stem, of verbeeld ik me dat.'

En zo praatten ze nog een paar minuten door tot Johan kwaad naar de slaapkamer liep om zijn koffer te pakken.

Een huisje aan zee was iets om reikhalzend naar uit te zien, zover je keek watervlakten, banen zonlicht die de wolken probeerden te verdringen, de schittering op het water. Ze moest eigenlijk in een fantastische stemming zijn en niet piekeren en het plezier bederven. Ze begon levensmiddelen uit de koelkast in een rieten mand te pakken, worst, kaas, een fles witte wijn. Het raadsel van de sleutels liet haar niet los. Ze besloot zich te gedragen zoals hij het van haar verwachtte. Een zorgzame onderdaan met een slanke leest en welgevormde dijen. Johan had een duivels scherp oog voor dit soort esthetiek. Ze hoefde maar naar Margreet, Brenda en zichzelf te kijken en dan kende je zijn smaak.

Barbiepoppen die niet al te veel eisen stelden en er bovendien een onverwoestbaar goed humeur op nahielden.

Het huis aan zee was spookachtig, omdat het leek op het huis in de stad; de indeling van de kamers en de meubilering waren hetzelfde. Zodra zij er binnenstapte, besprong haar het gevoel dat ze met de auto in een grote cirkel hadden gereden en weer thuiskwamen. Alleen was tijdens haar afwezigheid de afwas gedaan en de kamer opgeruimd. Er was een open haard en daarin lag het verschil.

Ze keek gespannen naar Johan die hem met proppen krantenpapier en houtspaanders aanmaakte. De schoorsteen trok goed, het vuur laaide op, het gaf een fantastisch mooi vlammenspel.

'Dezelfde architect?' vroeg ze.

'Natuurlijk, dan voel je je meteen op je gemak.'

Hij likte met zijn roze tong aan het mondstuk van zijn sigaar, leunde behaaglijk achterover en keek naar haar met een charmante glimlach.

'Het vuur is warm genoeg, zou je niet wat luchtigers aantrekken?'

'Als wij hier gekomen zijn om vieze spelletjes te doen, dan ga ik meteen weg.'

'Hoe wou jij nou wegkomen? Je kunt niet eens in mijn auto rijden. Wil je de hele weg naar de haven lopen? De laatste bus naar de beschaving is al lang vertrokken.' Hij staarde naar de kringelende sigarenrook en vervolgde allervriendelijkst: 'Dat vind ik nou zo leuk aan deze plaats, niemand die je horen kan, niemand die je lastig valt. Een heel weekend voor ons alleen.'

Hij rekte zich behaaglijk uit en schonk toen twee glazen port in. Zij zat op het kleedje voor de open haard in haar zijden ondergoed, en bij elk slokje port trok een huivering langs haar ruggengraat omlaag. Oervervelend was het.

Ze stond in de badkamer in haar gebruikelijke houding voor de spiegel boven de wastafel en zag in het felle licht dat ze kippenvel had. Ze bepoederde haar armen, benen en buik met een zachte dons.

Johan had niet gereageerd op haar kwinkslagen en grapjes terwijl zij ernaar had gestreefd zo onderhoudend mogelijk te zijn. Hij nam wraak door vaag te knikken en af en toe op te merken dat zij een lasterlijke tong had. Als een bokser werd ze naar de hoek van de ring gedreven en had elk moment de verradelijke uppercut verwacht die haar moest vellen tot hij voorstelde:

'Zeg, zullen wij eens naar bed gaan?'

Ze poetste haar tanden zo heftig dat het tandvlees bloedde. Ze spuwde rood speeksel vermengd met witte tandpasta in de porseleinen wasbak. Het was geen fraai gezicht. Ze dronk een groot glas koud water en bestoof haar oksels en hals met parfum. Er viel niets meer te doen om haar oponthoud in de badkamer nog langer te rechtvaardigen. Als in een droom liep ze de slaapkamer binnen, de gordijnen waren helemaal opengeschoven en het bed, nachtkastje en de lamp weerspiegelden in de glazen terrasdeur.

'Kan het licht niet uit?' vroeg ze zacht.

'Wie maalt daar nu om.'

Hij trok haar het bed in, schermde haar af met zijn lichaam en bedekte met zijn hand haar ogen, neusgaten en mond. Ze lag klemvast als in een bankschroef en toen zijn mannelijkheid naar binnen drong, verslapte heel even zijn greep. Ze zoog haar longen vol en draaide haar hoofd in de richting van de glazen wand. Het vlijmscherpe, pijnlijke besef in een glazen kist te liggen liet haar niet los. Ze sloot even haar ogen en toen zij ze opende, wist ze dat het geen inbeelding was; de laarsjes met de oplichtende gele biesjes stonden er weer.

Boven haar raakte Johan in rep en roer, hij stootte primitieve kreten uit die achter uit zijn keel leken te komen, zo naargeestig dat ze er geschrokken van kreunde. Ze probeerde zich op haar spieren in haar onderbuik te concentreren, mee te werken om deze smakeloze vertoning een spoedig einde te bereiden. Het hielp wel, al waren haar pogingen zonder veel overtuigingskracht. Hij rolde haar op haar buik om haar rug en billen te masseren en toen schoof zij bliksemsnel onder hem vandaan. Snel en doortastend, ze voelde geen spoor van nervositeit en voor Johan kon protesteren had zij de terrasdeur ontgrendeld en struikelde over de laarsjes die niet eens weg wilden rennen. Ze hoorde lachen en greep iemand in de kraag. 'Ik heb hem!'

Margreet struikelde de slaapkamer binnen.

'Haar zul je bedoelen,' zei Johan op een nogal vreemde afstandelijke manier.

Even later volgde Brenda, ze droeg een veel te grote anorak. Beiden gingen op de bedrand zitten lachen en Johan zei: 'Houd er onmiddellijk mee op, het is vervelend genoeg.'

'Nu speelt hij nog de vermoorde onschuld ook,' schaterde Brenda.

'Ik begrijp het niet.' Een ramp, een onafwendbare ramp naderde om haar in te sluiten.

'Zo gaat het in het leven,' meende Margreet, 'je ontmoet elkaar op de vreemdste plaatsen en in merkwaardige omstandigheden.'

'Maar waarom...' Ze maakte een machteloos gebaar en de beide vrouwen keken meewarig naar haar.

'Hij kan niet,' proestte Brenda.

'Wat kan hij niet!'

Johan leunde verveeld in de kussens en nam een sigaret uit het pakje op het nachtkastje en stak die op.

'Hij kan niet...'

'Wat dan niet!' Ze sprak luid en pakte Brenda bij haar schouders en schudde haar door elkaar.

'Nou, wat ik al zei... alleen als er naar hem gekeken wordt... weet je dan... kan hij het. De onschuldige ijdeltuit.'

'En vreemde ogen dwingen,' zei Margreet.

'Al die tijd! Je wilt toch niet zeggen dat al die tijd...?'

De meisjes knikten ijverig, terwijl Brenda beweerde dat het puur vriendendiensten waren, en dat je er goed van leven kon.

'Vriendinnendiensten?'

'En hij betaalt er goed voor. Het is het beste baantje van de wereld.'

Ze trok een kamerjas aan en liep op blote voeten de duinen in. Achter haar rug weerklonken nog de schrille uithalen van Margreet en Brenda. 'Als de scheidsrechters bij het songfestival... Nu zullen we met zijn drieën een nieuwe voor hem moeten uitzoeken. Les Pays-Bas, deux points; Royaume Uni...'

De maan gaf het landschap een wonderlijke gele gloed, ze voelde de vloedribbels onder haar voeten en de zee lag als een donker, glanzend zijden laken uitgespreid onder de sterrenhemel. Ze liep tot haar heupen het water in dat minder koud was dan ze had verwacht en ze waste zich. Ze kreeg een uitzonderlijk rustig en sereen gevoel omdat ze van het uitzichtloze en doodse leven dat er voor haar had gelegen was verlost.

Misschien was het zo'n slechte oplossing nog niet om in een tijd dat de mensen geleidelijk aan degenereerden de hele dag boeken te lezen en er 's avonds met de vriendinnen op uit te gaan. Dit was dus het leven; gevoelens die in het ongerede raakten, waar je je voor schaamde. Gewone genegenheid en liefde tussen een man en vrouwen. Ruzie maken en verzorgen. Ze liet haar gedachten de vrije loop en plaste wellustig in het water.

Laatste schoolreis

JOHNNY VAN DOORN

Ik ben nogal wat op scholen opgetreden... Prettig vond ik 't niet, uitzonderingen daargelaten. Maar o! de verschaalde zweetlucht, de herinnering aan snerpende gierende krijtjes... het gejoel van de eersteklassertjes.

Hoorde ik vroeger niet ook bij dat grut?

Wis en zeker. Toch had ik lang geleden, omstreeks mijn zestiende, zo'n afstand tot die wereld genomen dat ik me bijna niet meer kon voorstellen ooit klein te zijn geweest.

Ik wilde zo gauw mogelijk op een doorgewinterde twintigjarige lijken.

Het was een feit dat de kleuterschool mij al hypernerveus maakte.

Zou het kunnen dat ik een jaartje te lang aan moeders borst had gezogen?

Om zulke simpele dingen gaat het nou eenmaal.

De binding was zo sterk dat, toen mijn moeder mij op de eerste schooldag aan de juf toevertrouwde, ik het op een akeligst krijsen zette. Juf keek me streng aan. 'Flink wezen. Je bent toch geen moederskind.'

Ofschoon ik dat natuurlijk wel was, vond ik het zo beledigend voor een moederskind te worden aangezien dat ik meteen stijf m'n mond dichthield. Ze had me op m'n nummer gezet, de juf.

Weldra gedroeg ik me uniform de regels. Maar dat gold slechts voor de school, want buiten die muren ontpopte ik me tot een brutaal kereltje dat meisjes aan de vlechten trok en stiekem uit het raam een handvol centjes naar de melkboer gooide, zodat-ie dacht dat er een gat in zijn geldbuidel zat. Het bekende kattenkwaad. Niets bijzonders bij opgroeiende kinderen, maar mijn ouders konden 't niet rijmen met mijn voorbeeldige gedrag en leerprestaties op de lagere school.

Mijn 'gespleten manier van doen' verwarde hen nog meer doordat de bovenmeester het niet kon laten, voornamelijk op ouderavonden, hoog op te geven van mijn genietje-in-de-dop. Op z'n minst zou ik me ontwikkelen tot een professor van wereldformaat, had hij tegen m'n moeder gezegd. Meester Brouwers wekte te hoge verwachtingen. Het kwaad was gesticht. Sindsdien mocht ik niet meer falen op school; een onmogelijke opgave.

Mijn ouders viel het op dat ik steeds vaker aan het dromen en peinzen sloeg. Ze vertrouwden 't niet helemaal.

'Nu zit je al een uur ins blaue hinein te loensen,' hoor ik Ma nog zeggen. 'Tevens zie ik je nooit meer huiswerk maken. Waar denk je toch aan?'

'Aan niets,' mompelde ik.

Het leek me niet verstandig haar te zeggen dat ik soms eensklaps beelden zag van mooie halfnaakte indiaanse meisjes die aan het baden waren in heldere bergmeertjes, en dan weer, in volle kleuren, bloederige veldslagen... Ik stelde me die even levendig voor als grazige weiden vol paardebloemen met een boerderijtje aan de einder.

Door de vele boeken die ik uit de bibliotheek haalde en verslond, ontdekte ik pas goed dat er nog andere werelden bestonden dan ons buurtje. Het was dat mijn hoge rapportcijfers stabiel bleven anders zouden mijn ouders over mijn 'nieuwe manie' ernstige bedenkingen hebben gehad.

Laat ik mijn vrouw aanhalen die net als ik op tienjarige leeftijd een bieb-freak was. Hoe dikwijls had haar vader niet opgemerkt: 'Kind, je zit altijd met je neusje in de boeken... Pas op, je verleest je verstand nog eens.' Het idee zeg, je verstand verlezen...

Glansrijk slaagde ik voor het toelatingsexamen van de hbs.

Meester Brouwers vond het wel spijtig dat ik niet meteen naar het gymnasium was doorgestoten, al begreep hij dat mijn vader 'de school van de rijkeluiskinderen' verafschuwde.

'Brouwers,' had Pa gezegd, 'over mijn lijk. Mijn zoon zal zich daar nooit thuisvoelen. Hij is nu eenmaal geboren voor de hogere burgerschool! Daar heb ik ook op gezeten. Dat siert ons.'

Half juni. De grote vakantie startte met het officiële afscheidscadeau van de lagere school, in de leuke vorm gegoten van 'drie dagen naar een jeugdherberg in Loosduinen'.

Vandaaruit werden allerlei tripjes ondernomen, als strandwandelingen, met de bus naar het Planetarium en Panorama Mesdag, het Binnenhof, de Ridderzaal; en met de open zomertram naar Scheveningen, alsmede een bezoekje aan dat vervelende Madurodam. Ik weet nog goed dat ons land toen letterlijk trilde in een tropische hitte. Er heerste een aparte broeierige sfeer.

Laat ik niet sentimenteel worden, maar er ging 'n grote weemoed uit van de laatste schoolreis. Veel sterker dan ik nadien zou meemaken op ouwe-zakken-reünies.

Meester Brouwers had ons goed afgeleverd. Waarlijk, we bruisten van levenslust. Ja, zo hoorde dat in de tijd toen de VARA-haan nog lustig kraaide... Als pacifist van het eerste uur had hij het credo 'Nooit meer oorlog' er bij ons ingeramd. Hij had met zijn diaprojector afschuwelijke beelden laten zien uit de concentratiekampen. Sommige kinderen waren in tranen uitgebarsten. *O die ene vuist die uit een berg uitgemergelde lijken stak!*

Ouders hadden geklaagd, maar Brouwers wist daar wel antwoord op. 'Zijn er bezwaren? Stuur uw koters maar naar een andere school. Ik verhul niets.'

Een koppige vent.

In het oorlogje spelen, zoals jongens dat doen, met klapperpistooltjes elkaar om de haverklap doodschieten, zag Brouwers geen kwaad; mits de 'kinders' elkaar niet doelbewust verwondden. Dat iemand af en toe, in het heetst van de strijd, een blauw oog opliep, of een tand door de lip, vond hij normaal. Hij had daarvoor een EHBO-koffer.

Maar met echte slechteriken toonde hij geen pardon. Als Brouwers doorkreeg dat die, na z'n herhaalde waarschuwingen, hun streken voortzetten, moesten ze ook als de sodeju ophoepelen. Dan kon hij driftig worden en elk gevoel voor pedagogie verliezen, 't Moest hem wel een beetje makkelijk worden gemaakt, onze bovenmeester.

Fier marcheerde hij in zijn korte kakibroek voorop toen hij de kinders over kronkelende duinpaden naar zee leidde.

Ik zou haast vergeten dat er eveneens een aardige meester en een juffrouw meeliepen.

Amper na het krieken van de dag was het al bloedheet in het natuurgebied achter Loosduinen. We konden de ogen niet afhouden van een paar vroegrijpe meisjes. O het gewiebel van hun borsten onder 'n sporthemdje... 'Heb je die joekels gezien?' Gefluit en gesis.

We beklommen een duin. 'Daar is de zee,' zei Brouwers. Man, dat zien wij ook wel, dachten we.

De zwembroeken hadden we al aan. Het wachten was op de meisjes die in vrolijk gekleurde hokjes hun badpak aantrokken. Zo'n ribbelig gevalletje om de romp, wat een gewurm leek me dat.

Meester Oets wees ons op de gevaren der zee. Niet verder dan tot je borst en voor de kleineren tot het middel... 'En als er 'n kwal zich aan je vastzuigt, kom dan onmiddellijk naar ons toe. We hebben een fles ammoniak klaar staan... Het beste middel daartegen.'

We hadden al eerder geleerd dat kwallengevaar en landwind samengingen. Maar deze dag stond er een licht zeebriesje.

Juf Welman blies op een politiefluitje... het signaal met z'n allen een stormloop te houden naar de lokkende koele zee.

Ik dook in een golf en kreeg meteen een slok krengzout water binnen. Een les...

Ineens zwom ik met het ritme van de deining mee.

Als een vis schoot ik door de golfjes. Een ander genoegen was loom op je rug te dobberen, met die strakke blauwe hemel boven je.

Ik probeerde de vlinderslag uit die ik nog niet zo goed beheerste... Briesend spartelde ik tegen iemand op: Carolien, een van de rondborstige meisjes uit mijn klas...

'Goh,' zei ze. 'Jij zwom helemaal in het diepe.'

'Ja zeker, Carolien. Durf jij niet verder?'

'Ik kijk wel uit.'

'Een kwal achter je!' riep ik.

Gillend drukte ze zich tegen mij aan.

'Je houdt me voor de gek. Plaaggeest die je bent... Ik zal je 's even.'

Daarop begon ze wijdbeens haar kruis tegen het mijne te stoten. Ik kon het wel uitschreeuwen van genot, maar er kwam slechts een pieperig gehijg uit mijn keel. Weg van de wereld stootte ik ritmisch terug. Instinctief zakte ik door m'n knieën, uit welke stand ik er nog harder op los kon beuken.

Ze kreunde in mijn oor: 'Ja, heerlijk, zo doen wij dat later, en dan in bed! Ooo...'

Ik kwam klaar in mijn zwembroek. Dat fenomeen kende ik al van het afrukken op filmsterplaatjes die je bij bepaalde kauwgommerken kreeg. Maar dat ging alleen maar om grote tieten – en nu had ik iets nieuws ontdekt! Het ware...

Carolien keek me met schrikogen aan. 'Wat is er? Je rilt... je bibbert.'

Op dat ogenblik snerpte het fluitje van de juf over de wateren.

'Zou ze iets gemerkt hebben?'

'Welnee gekkerd,' zei Carolien.

Het zeebad had wel iets langer mogen duren. Mokkend waadde ons klasje terug naar het strand. Door de hitte hoefden we ons niet eens af te drogen. Een vluchtige blikwisseling tussen Carolien en mij – we deden of er niets was voorgevallen. Maar intussen koesterden we ons geheimpje. Een plechtig gespeeld non-contact.

De juf kondigde aan dat we een kilometer verderop, in een strandtent waar meester Brouwers en meester Oets zich reeds genesteld hadden, zouden worden getrakteerd op priklimonade.

Hoorden we het goed? Prik en ijsco's? Hoe kinderachtig klonk dat. We wisten dat de juf les gaf in de eerste klas... dus we keken eigenlijk niet eens gek op van haar fröbeltoontje. Dat zat er bij haar ingebakken. Een jongen die bij het vooruitzicht van de lafenis hoera had geroepen kreeg een boterham met zand in z'n mond gepropt.

'Moet je maar niet zo slijmen, jochie.'

In de pufhitte sjokten we moeizaam langs de vloedlijn, doch ook daar vonden we geen verkoeling. Windstilte.

We merkten dat juf Welman en de meisjes die om haar heen zwermden, last kregen van 'n appelflauwte. Daardoor werd de tocht voor ons jongens langer dan we hadden vermoed. Werden we niet geacht rekening te houden met achterblijvers?

Hent Willems, de zoon van een kastelein, die jaren naar pis had gestonken, en – hoe curieus – in de zesde was veranderd in een bekakt pratend heertje met een sjiek pakje aan, die wonderboy vond het leuk af en toe plat Ernems te praten. Hij pakte de juf bij de arm en riep: 'Late we doorpeze... Het wordt tiet dat we eindelijk wat te zuipe en te vrete krijge... In de slag juffie!'

Zijn aanmoediging had effect. Een duchtige looppas en op het laatst een felle sprint.

'Goedzo juf.'

Naar adem snakkend zegen we neer op het terras van de strandtent.

Brouwers gaf een veelbetekenend knikje naar Oets.

'Slooft Louise zich niet te veel uit? Pit kan je haar niet ontzeggen.'

De sinas, gevolgd door een kroketje en roomijs als toetje, werkten we ras naar binnen. We vonden het niet genoeg. Van ons zakgeld kochten we nog een Mars en een gevulde koek...

Hent deed het anders. Die lurkte aan een fles bier die hij steeds achter de jukebox vandaan haalde.

Moest je 'm zien grinniken, BIG BOSS HENT.

'Ik verkas,' riep Hent. 'De frituurwalm slaat op m'n keel.'

Uit zicht van de schoolkrachten ontdekten we een gezellig plekje om de hoek van de strandtent. Een zijterras.

'Hé, een lieveheersbeestje... en alweer zo'n leukerdje,' schalden de meisjes innig vereend onder een parasol.

'Kijk maar uit met die beestjes,' waarschuwde Hent, 'voor je het weet...' En hij had het nog niet gezegd of er daalde een zwerm van die insecten op ons neer. Ze vlogen in je limonade en kropen in je neus, je oren, je haar... en wat een eng geluid, het knisperen van hun metalige schildjes... De lucht wemelde van zwarte-stipjes-op-het-rood... Elk lieflijk gevoel voor die schatten verdween.

Juf Welman vluchtte met de meisjes naar zee waar ze met een strandbal gingen spelen. Onderwijl zwaaiden Brouwers en Oets wild met hun handen over hun uitsmijters die bezaaid waren met lieveheersbeestjes.

Onbegonnen werk. 'Heb ik voorspeld,' riep Hent die zich een hoedje lachte.

'Laat de meisjes maar ballen,' zei Oets. 'Wij gaan waterpoloën!'

Een goed idee.

We wisten dat Oets een vermaarde goalgetter bij Neptunus was geweest. Laat 's zien wat je kan, dachten we.

Natuurlijk kon je niet echt poloën in zee. Maar we beschouwden het als training. Het was bepaald niet gek wat we deden.

Wat kon Oets vreselijk hard gooien en zo trefzeker!

Pats! Hent werd frontaal in z'n gezicht getroffen...

Nu was het de beurt aan de meester zich een hoedje te lachen.

'Ik krijg hem nog wel,' zei Hent. 'Je moet niet vreemd staan te kijken als er vanavond een dooie muis in z'n soep dobbert.'

'Meen je dat?'

Met onze vroegwijze koppen net boven water keken we elkaar glashard aan. Onverhoeds – ik had aan een vuistslag gedacht – aaide hij over mijn bol terwijl hij naargeestig bromde: 'Ach, wat kan het me ook schelen. Ze zoeken het maar uit. Ik ben het zat.' Wat een grotemensentaal. Speelde hij toneel of niet? Onmogelijk te vatten dat Hent op zo'n jonge leeftijd al der dagen zat was. Ik was bang dat hij zou gaan huilen. Wat mankeerde hem?

Ik was zielsgelukkig toen ik pretlichtjes in zijn ogen zag fonkelen, de komediant.

Hent leek me iemand die er bezeten van was de hele wereld voor de gek te houden.

'Ik zou wel 's willen weten wie van ons het langst onder water kan blijven.'

'Doen we,' zei ik. 'Maar niet steggelen... Laten we elkaar vasthouden. Lucht opzuigen en duiken!'

Volhouden, dachten we op het randje van verstikking. De longen en de schedel stonden op ontploffen. Rode vonken, oranje schichten... Hij liet mijn hand los. Ik telde tot drie en schoot ook naar boven. Duizelig vielen we tegen mekaar aan.

Hoe heerlijk adem te kunnen halen...

'Doen jullie nog mee!!!' klonk uit de verte, 't Was meester Oets met een verbazende brulboeistem. 'Poloën jongens!'

Op ons gemakje spetterden we door het lage water naar het sportfeest van Oets dat zich steeds verder verwijderd had... richting Engeland.

'Is jouw moeder geen Duitse?' vroeg Hent.

'Hoe weet jij dat?'

'Dat weet ik nou eenmaal. En was jouw moeder niet fout in de oorlog?'

Hoe kwam hij erbij? Wat bezielde hem?

Ik was niet boos maar uitzonderlijk woedend, toen ik hem daar in het zeeschuim terecht wees. Mijn moeder die al tijdens de Eerste Wereldoorlog naar Holland was getrokken! – ze had schoon genoeg van haar brallende landgenoten. 'En kort daarna,' zei ik, 'luister goed, trouwde ze met mijn vader, een dappere kerel die in 1944 op het nippertje aan 't vuurpeloton ontsnapte. Ze hadden 'm betrapt op het verbergen van joden... Even voordat ze hem wilden neerknallen was er een plotselinge beschieting van Engelse duikbommenwerpers. De moffen namen de benen. Moeder heeft toen met een mesje het touw doorgesneden waarmee Pa aan een boom zat vastgebonden. *Spannend, hè.* Wonderwel ongedeerd zijn ze door het bos weggevlucht... en bij vrienden ondergedoken.'

'Tjonge,' zei Hent. Hij vond het vervelend dat hij mijn moeder verdacht had gemaakt. 'Geef me een poot.'

Harde vuisten die de botjes deden kraken.

'Die ouwelui van mij,' fluisterde mijn vriend, 'die zuiplappen waren al fout in de oorlog, en na de bevrijding nog veel erger...'

...

'Kom op,' zei Hent. 'Ik wil 't er niet meer over hebben... We zullen de meester 's laten zien wat waterpoloën is!'

De laatste avond – benauwd warm was het gebleven – drentelde ik over lommerrijke paadjes. Ik was onwel geworden van de maaltijd welke ik, ondanks m'n honger, met lange tanden had verorberd. De gehaktbal was niet om te vreten geweest. Schel gezang drong in flarden door, begeleid door juf Welman op een mondharmonica. *My Bonnie is over the ocean...*

Hoorde ik Hent niet boven het koortje uitkraaien? Een mal idee dat-ie met de juf en haar liefjes mee zat te piepen.

Het werd drukker in de schemerige laantjes. Een

koeienkop beschuldigde een andere koeiekop dat hij z'n zwembroek had gestolen. Ruziënd sloegen ze een zijpad in.

Door de dennentoppen scheen een romantisch maantje. En toen hoorde ik, niet eens zo ver weg, de schaterlach van Hent, en, als ik 't wel had: zacht gegiechel van meisjes. Ik bevroedde iets... Hij zou toch niet met Carolientje? O nee zeg. Als een pijl vloog ik het donker in, dwars door de bramen, en rende door naar de andere kant van het bosje. Daar waren ze!

Het viel mee. Hent stond tegen een berkenboom geleund een shagje te roken, waarbij hij een arm los om de schouders van Truus de Koning had gelegd.

Carolien was blij verrast dat ze me zag.

'Kom erbij,' zei Hent opschepperig. 'Ik ga nu effe lekker tongzoenen.' En met die dikke Truus dook hij in het struweel.

't Leek wel of ik in een realistische 18-jaar-film meespeelde.

Ik huiverde door de spanning van het verbodene... Donders, Carolien knoopte haar bloesje los en wreef haar borsten tegen me aan.

'Toe... leg je handen eronder – en weeg die joekels van me.'

In vuur en vlam, met uitpuilende ogen, deed ik dat; zwaar ademend... 'Schattebout.'

Ze beet in mijn oorlelletje. Nooit vermoed hoe heerlijk zoiets kon zijn.

'Hou op met dat geflikflooi,' fluisterde Hent die opeens voor ons stond.

Goed dat hij ons gewaarschuwd had. Glurend uit onze beschutte plek zagen we Brouwers en juf Welman onze richting uitkomen.

Terwijl we nog stonden na te trillen, dansten de meisjes zingend het bos uit. *'Mies van Loon heeft mooie benen / mooie benen heeft Mies van Loon.'*

Wat dommig klommen we uit een greppel en op het ritme van hun gezang huppelden we het laantje in...

Meester Brouwers had schik in onze vertoning.

'Moet je zien,' zei hij, 'hoe de kinders genieten... Juf, dit is het mooiste uitstapje dat ik in mijn lange loopbaan heb meegemaakt. Heerlijk om ze zo vrolijk te zien ronddarren.'

Die nacht, in de jongenszaal, kon ik moeilijk de slaap vatten. Na de kussengevechten en het flauwe-moppengetap luisterde ik naar het gesnurk terwijl ik steeds aan de tieten van Carolien dacht... Ik wist dat het niet zondig was wat ik had gedaan. Ben je gek, dacht ik, helemaal niet vies.

Maar stel dat Brouwers en Welman ons betrapt hadden... tussen de bosjes!

Er waren ouders die je voor zo'n geintje naar een verbeteringsgesticht stuurden... Tongzoenen en blote borsten laten schudden. Ik begreep niet wat daar voor kwaads in stak.

We deden het toch niet echt.

Dan zou Carolien weleens een baby hebben kunnen krijgen... moeten trouwen... Hoe erg leek me dat.

Ik legde me op m'n zij, tobbend over de toekomst... Na de grote vakantie zou ik naar de hbs gaan...

Lullig om weer als eersteklassertje te moeten beginnen... maar eerst de VAKANTIE... eindeloos lang...

Content daarmee soesde ik weg.

IJskoud

KRISTIEN HEMMERECHTS

Wat hij wilde dat ik deed.

Ik ging naar hem toe, altijd op dezelfde dag, hetzelfde uur, zondag drie uur, het doodste moment van de week, zeker voor wie alleen was zoals hij, zoals ik. (Maar ik was niet alleen. Er waren mensen, verschillende mensen met wie ik at, praatte, sliep, lachte. Het voelde of ik alleen was, of er niemand was en ik niemand had en ook ik er niet was. Misschien wilde ik al die mensen om me heen omdat ik niemand was. Nog niemand was.)

De deur stond op een kiertje, toch belde ik aan, twee keer kort, één keer lang, zodat hij wist dat ik het was. Ik die niemand was. Koude rillingen krijg ik ervan, en meteen op de drempel van zijn huis een zeurend jeuken in mijn schede en het verlangen om er dingen in te steken.

Het was het meest smaakvol ingerichte huis dat ik kende, of juister: het was het enige smaakvol ingerichte huis dat ik kende. De kamers, flats en huizen waar mijn vrienden en familie woonden, waren niet ingericht. Er waren voorwerpen neergezet. Als iemand me vroeg waarom ik deed wat ik deed, antwoordde ik: vanwege het huis. Een ander antwoord had ik niet, toen nog niet, en ik zou het hoe dan ook niet hebben gegeven. Tenzij dat het zondagmiddag was en de tijd stilstond.

Ik hield niet van hem. Toen nog niet. Ik vond hem een schaap. Had zin om hem te zeggen: gedraag je als een man! Hoe gedraagt een man zich? Ik weet het niet.

Maar niet zoals hij die me met hondenogen, schapenogen aankeek, zijn hoofd schuin en licht gebogen, zodat hij van onder zijn wenkbrauwen naar me opkeek hoewel hij twintig centimeter groter was dan ik, alsof hij wilde zeggen: sorry dat ik er ben, let niet op mij, ik probeer me zo klein mogelijk te maken. In dat prachtige, ruime huis van hem hield hij zich of hij zich wilde uitwissen, of hij zich verontschuldigde voor de ruimte die hij innam, de zuurstof die hij inademde, de stofdeeltjes die hij verplaatste, of voor het grote huis zelf waar hij woonde. Hij was maar de zoon die het had geërfd.

Iedereen op de academie kende hem. Wist dat hij, omdat hij zo'n aardige man was, zo hoffelijk, bescheiden en erudiet, bij wijze van hoge uitzondering, als de zin hem daartoe bekroop, in het klaslokaal mocht komen zitten waar de leerlingen geconcentreerd het model probeerden te tekenen dat vooraan op het podium naakt poseerde. Plastische kunsten rekruteerde zijn modellen bij toneel, waar de directie niet blij was met hun tolerantie tegenover de wereldvreemde man, maar plastische kunsten vond dat zij alleen kon beslissen wat in hun lokalen gebeurde. Hoe meer toneel riep dat hij moest gaan, hoe meer plastische kunsten vond dat hij mocht blijven. Want hij deed geen vlieg kwaad. Keek soms zelfs uit het raam. (Wat voor het model pas echt verschrikkelijk was. Stootte ze hem af? Verveelde hij zich?)

Niemand, zei plastische kunsten, wordt verplicht om hier te poseren.

Maar ze wist hoe de jongens en meisjes van toneel het geld nodig hadden, hoe ze elke frank die ze bij hen verdienden drie keer omdraaiden alvorens hem uit te geven.

Sommigen vergaten dat hij er zat. Anderen konden aan niets anders denken.

Er werd gezegd dat hij zo rijk was als Croesus. Dat hij met al het geld dat hij had zijn vrouw niet had kunnen houden. Dat ze hem in de steek had gelaten voor een piepjonge student, die toen zijn achttiende verjaardag nog moest vieren. Dat ze een man wilde die iets deed en niet alleen maar keek. Er was een zoontje dat nu eens bij hem woonde en dan weer bij haar, en dat zodra hij kon naar een ver land was vertrokken om geen van beiden ooit nog te hoeven te zien. Een leuk knulletje, zei men, met de lange blonde krullen van zijn moeder.

Toen hij het me vroeg, bloedde ik. Hij zat er precies zoals iedereen had gezegd dat hij er zou zitten, met zijn benen gekruist en zijn hoofd lichtjes gebogen, maar hij keek niet naar buiten, geen seconde keek hij uit het raam. De hele klas keek naar mij, schatte rondingen en proporties, maar hun kijken was een ander kijken dan zijn kijken waaronder mijn bloed stuwde en de tampon, waarvan ik het touwtje naar binnen had gepropt opdat niemand het zou merken, niet langer het bloed kon absorberen. Warm en kleverig stroomde het over de binnenkant van mijn dij.

Secondje, zei ik, nam mijn jas van de kapstok, sloeg hem over mijn schouders en verdween naar het toilet.

Na de les vroeg hij het me. Of hij me af en toe zou kunnen zien. Of ik naar zijn huis zou willen komen en hij me dan zou kunnen zien. Ik zou er... Geld was geen...

'Bezwaar,' zei ik.

'Bezwaar,' zei hij. Schuw, schuchter schaap.

Maar ik ging zoals hij had gevraagd.

('Zou u een jurk kunnen dragen? Zou u dat voor mij willen doen? Zondag, drie uur, twee keer kort, één keer lang, de deur zal op een kiertje staan.')

Waar begint liefde?

Ik stapte in de hal van zijn prachtige, ruime huis, telde de deuren van de gang, koos de derde want die, had hij gezegd, moest ik zonder kloppen binnengaan.

Hij zat in een stoel, een ongewone stoel door het design, waarover lang moest zijn nagedacht. Twee exemplaren waren er ooit van gemaakt, het ene stond in een museum in New York, in het andere zat hij. (Hoe wist ik die dingen? Het waren dingen die werden gezegd over hem, de kluizenaar, de voyeur van jonge meisjes, de man van weinig woorden met het gebroken hart en de bolle blauwe ogen waarmee hij van achter dunne brillenglazen keek en keek.)

Mag ik u zien?

Nooit 'jij' of 'jou', nooit een bevel. Altijd hoffelijk. Verontschuldigend haast.

Ik schrok van zijn hoedje. Nooit eerder had ik hem met een hoed gezien. Het was het soort hoedje dat Afrikanen met grote waardigheid dragen, maar op zijn hoofd was het potsierlijk. Idioot. Toch zei ik: 'Mooi hoedje.' Omdat ik onmogelijk niets kon zeggen. Het hoedje liet zich niet negeren.

'Dank u.'

Met een blik of het hem allemaal grote moeite kostte. Of hij leed.

Er werd over hem gezegd dat hij gedichten had geschreven, gedichten waarvan hij elk gedrukt exemplaar had laten vernietigen de dag dat zijn vrouw hem voor een snotneus verliet.

Mag ik u zien?

Hoe wist ik wat hij bedoelde? Hij met zijn vreemde hoedje en zijn bolle blauwe ogen achter brillenglas dat geen brillenglas was. Dat dacht ik meteen en wist ik enkele weken later zeker toen hij bij de thee zijn bril afzette en ik hem stiekem even testte: nep. Hij verborg zijn ogen achter vensterglas.

Het wond me op.

Ik stond voor hem. Trok mijn jurk langzaam, tergend langzaam over mijn kuiten, mijn knieën, mijn dijen, de stof tussen mijn vingers fronsend, kijkend naar zijn malle hoedje, kijkend hoe hij keek, denkend 'schaap', 'schuw schaap', nog niet wetend dat het liefde was of misschien niet, maar dat ik toch van het schaap zou houden of denken dat ik van hem hield en op een dag zelfs zou zeggen: ik hou van jou, omdat het anders niet viel te begrijpen dat ik week na week naar hem ging, voor hem stond, hem liet zien wat hij wilde zien. (Maar hij zou zeggen: 'Het spijt me, het is een misverstand.' Altijd beleefd. Nooit een grof woord.)

Hoe masturbeer je je voor de ogen van een vrouw die staat en kijkt zonder onbeleefd te zijn? Ik weet het niet, maar hij was de hoffelijkheid zelve. Iets hoger graag. O ja. O ja.

De vrouw had moeten weggaan. Had daar niet mogen blijven staan. De vrouw of het meisje. Het vrouwmeisje. Ze had moeten zeggen: geld is het bezwaar. U bent het bezwaar.

De vrouw bleef staan, zat gevangen in zijn verlangen, dat haar overweldigde, verlamde, dwong. Hij wilde haar zien. Zij moest zich tonen.

Ik sloot mijn ogen, kon zijn blik, zijn verlangen niet langer verdragen, niet voor mij maar voor dat kleine stukje van mij.

'O ja,' zei hij. En opnieuw: 'O ja.'

Alsof hij iets herkende wat hij in een ver verleden nog had gezien.

Welke schoenen droeg ik? Droeg ik kousen? Wat had ik die morgen gegeten? Uit wiens bed was ik gestapt?

Ik droeg kousen. Zwarte wollen kousen tot over de knie. En ik droeg stevige wandelschoenen met veters en een lage hak. Maar een slipje droeg ik niet want ik had toen hij het me vroeg in een flits gezien hoe het zou zijn, wat ik zou doen.

Misschien had hij het niet zo bedoeld. Had hij een herhaling bedoeld van hoe het verliep in het klaslokaal op plastische kunsten. Misschien was datgene wat er gebeurde iets wat ik ervan maakte omdat ik het zo in een flits had gezien toen hij me vroeg wat hij vroeg. Mag ik u zien?

Ik had me niet als een hoer gekleed en ik was ook geen hoer, al betaalde hij me voor wat ik deed, al hadden we afgesproken dat hij me zou betalen voor wat ik deed. Hij had het afgesproken. Hij had gezegd: 'Geld is geen...' 'Bezwaar,' had ik aangevuld.

En zo had ik het ook gezegd aan de man uit wiens bed ik die dag was gestapt, nee, het was mijn bed waaruit ik was gestapt, maar hij lag er ook in en hij had gevraagd: 'Betaalt het goed?'

Het was het soort klussen dat we deden, wij jongens en meisjes van de toneelacademie, met onze hoge kinnen en rechte ruggen. Er werd zoveel aan ons gevraagd. Iedereen kende de kleine kamertjes waarin we woonden, de rode cijfers op onze bankrekening.

Maar ik had geld. Ik had geld van een tante die in me geloofde. Een tante die zelf aan het toneel had willen gaan, maar van wie de ouders hadden gezegd: over ons lijk. Nu schreef ze trouw bij het begin van de maand een bedrag op mijn rekening over. Ik zou het maken, zei ze. Zelfs ik geloofde dat niet.

Het voelde alsof ik geen geld had. Alsof ik net als de andere jongens en meisjes allerlei klussen moest aanvaarden om de eindjes aan elkaar te knopen. Het geld van mijn tante spaarde ik voor later. Voor de reis die ik zou maken, de auto die ik zou kopen. Het sparen, zo had mijn tante kunnen weten, zat me in het bloed. De jongen die in mijn bed lag te slapen terwijl ik kleren koos voor mijn bezoek aan de man met de bolle blauwe ogen en de schijnbaar schuwe blik, wist niet beter of ik bezat geen frank. Hij was mijn vriendje, mijn maatje, nam me mee naar de kroeg als er genoeg geld lag in de hoed die hij voor zich op de straatstenen had gezet. Hij had een mime-act, een tapdansact en een goochelact, en hoopte op een dag te leren vuurspuwen, maar dat praatte ik hem uit het hoofd, wilde niet dat hij zijn keel en longen kapotbrandde, zei: 'Je mag je gezondheid niet verkopen.' Nooit vroeg hij me wat die ander vroeg. Nooit stond ik zo voor hem. Mijn rok hoger en hoger tot hij alles kon zien wat hij wilde zien.

Maar het was niet genoeg.

Kon ik ook open?

Mijn adem stokte in mijn keel. Hoe had hij geweten dat het dit was dat ik wilde doen en wat ik nu met de ogen kuis neergeslagen ook deed terwijl hij keek en het bij zichzelf deed.

Meestal was het dan kwart over drie.

Als ik wilde, kon ik meteen weg.

Hij bood me een kop thee aan maar die hoefde ik niet te drinken, ik kreeg mijn geld ook zo, hoefde hem geen gezelschap te houden tijdens de traag wegtikkende minuten van een stille zondagmiddag, daarvoor betaalde hij me niet.

Tijdens de thee informeerde hij naar mijn studie.

'De leraren komen dikwijls niet opdagen,' zei ik. Ze zijn bezig met een productie of ze zitten in het buitenland. Wij zijn het grut dat hen nauwelijks interesseert.'

'O ja,' zei hij. 'O ja.' En gaf het geld. Meer dan ik had verwacht. Veel meer.

Hij liep met me mee naar de deur, glimlachte zijn gepijnigde glimlach. Seconden later stond ik te kotsen in de struiken bij het hek.

Nooit meer, dacht ik.

Het duurde weken en weken, zelfs maanden. Ik deed wat hij me vroeg te doen, dronk de thee die hij voor me zette, beantwoordde de vragen die hij stelde.

Hield ik van muziek?

Ik knikte.

'Welke muziek?'

'Alle muziek.'

Hij keek me onderzoekend aan.

Mocht hij me een cd meegeven? Zou ik er voor hem naar willen luisteren? Zou ik hem willen zeggen wat ik ervan dacht? Hij zou me ervoor...

Nee, nee dat hoefde niet.

Dan mocht ik de cd houden als ik ervan hield. Ik moest hem alleen zeggen wat ik ervan vond. Jonge mensen hielden van andere dingen dan oudere mensen, maar misschien bestond er muziek die over de generaties heen...

Hij glimlachte en ik glimlachte, zei niet wat hij zich toch niet zou kunnen voorstellen: dat ik geen cd-speler had.

Daarna legde hij altijd een cd op voor ik deed wat hij wilde dat ik deed, of wat ik ooit gedacht had dat hij wilde dat ik deed. En hij deed het niet meer zelf. Hij knoopte zijn broek los en ik ging op hem zitten in zijn designerstoel, voelde me trots dat ik dat kon, want je moest er lenig voor zijn om in zo'n rare stoel bij een man die zich niet bewoog te zorgen dat gebeurde wat je dacht dat hij wilde dat gebeurde. Soms vulden zijn bolle blauwe ogen zich met tranen en nam ik zijn bril af en likte ze weg.

Ik was jong in die tijd, erg jong, maar ook niet zo jong dat ik zonder aarzelen kon antwoorden toen hij me vroeg of ik me herinnerde hoe het was om zeventien te zijn. Wat voor iemand was ik toen? Wist ik al wat ik met mijn leven wilde doen?

'U bent toch ook zeventien geweest?'

Hij glimlachte. 'Dat was in een andere tijd.'

En of hij me mocht uitnodigen voor een concert. Of ik het prettig zou vinden om de muziek die hij me op cd liet beluisteren in een live-uitvoering te horen?

Zo jong was ik in die tijd dat ik nog nooit een klassiek concert had bijgewoond.

Met geld van mijn tante kocht ik een nieuwe jurk.

'Mooi,' zei hij, 'heel mooi.' Hij leek niet te merken dat ik na de pauze dutte.

Misschien hebben we elkaar op het verkeerde tijdstip ontmoet. Misschien zou het anders zijn gelopen als ik hem later had ontmoet toen ik had leren zeggen: 'Ik', en wist wat dat betekende: 'Ik'. Ik zei alleen: 'Wij'. Wij, jongens en meisjes van de toneelacademie, de blitse vlinders die klussen deden om te overleven. Zelfs als ze geld hadden. Zelfs als er een tante was die het hun gaf. Het leven zou na de academie beginnen, of nog later misschien. Nu was het spelen, een spel. Net echt. Maar niet echt.

Ik zei: 'Wij', en hij zei: 'U'. Wat vindt *u* van deze cd? Wat vindt *u* van jonge mensen? Gelooft *u* in hen?

Jaren later zag ik in een antiquariaat dat waar ik onbewust naar op zoek moest zijn geweest: de gedichten voor de vrouw die hij niet had kunnen houden, de vrouw die hem had verlaten voor een piepjonge student. Was het haar exemplaar? Het ene dat niet was vernield? De antiquaar besefte de waarde ervan, vroeg een schandelijk hoog bedrag. Ik zette de bundel terug in het rek, bedacht toen dat ik niet meer hoefde te sparen voor een fiets, een auto, een huis. Ik had alles waar mensen voor kunnen sparen, alleen dit boekje had ik niet en ook hem had ik niet.

'Weet u of hij nog leeft?'

'Nee, mevrouw. Zal ik het voor u inpakken?'

Ik gaf de antiquaar het geld. Twee zondagen, dacht ik, twee zondagen zou ik voor dit bedrag voor hem hebben moeten staan.

Ik stond bij het raam en keek naar de bladeren die in zijn tuin naar beneden warrelden. In de keuken floot de waterketel, overstemde een Stabat Mater die hij net had opgezet. Hij liep naar de keuken. Het fluiten hield op. Ik hoorde water in de theepot klateren. De ketel werd terug op het fornuis gezet, het theeblad de kamer binnengedragen. Hij kwam bij me staan. Keek naar de bladeren die warrelden in de wind.

Wist ik wat een ijskelder was?

Nee, dat wist ik niet.

'Een ijskelder,' zei hij, 'is een kelder in een bos waarin vroeger ijs werd bewaard. Kastelen hadden vaak een ijskelder. In de winter hakte men het ijs op de vijver in stukken en sleepte het op sleeën ernaar toe. Op die manier had men de hele zomer ijs.' Hij glimlachte vermoeid. 'Geliefden ontmoetten er elkaar. Spraken af bij de ijskelder.' Hij raakte even zijn hoedje aan. 'Er zijn nog altijd kastelen waarvan de ijskelder is bewaard.'

Ik rilde, dacht aan wat hij misschien op het punt stond me te vertellen, ging dichter bij hem staan. Toen zei ik het hem, zonder zeker te weten of dat hetgeen was wat ik hem al altijd had willen zeggen. Misschien zei ik het hem om iets te zeggen. Of misschien dacht ik eindelijk te begrijpen waarom ik week na week deed wat ik deed. Want ik had het geld niet nodig. Ik hoefde niet te doen wat ik deed voor geld. Maar hij zei wat ik had kunnen weten dat hij zou zeggen. Een pijnlijk misverstand. Het speet hem, het speet hem werkelijk.

De volgende zondag stond ik voor een gesloten deur. Ik drukte op de bel. Twee keer kort, één keer lang. En opnieuw. Twee keer lang, één keer kort. Drie keer lang, drie keer kort. 'Schaap!' brulde ik. 'Kom naar buiten, schaap!'

En ik wreekte me. Ik wreekte me op mijn vriendje, mijn maatje, zei hem dat de hele stad met hem lachte, met hem en met zijn mime-, goochel- en tapdansact. En ook op hem wreekte ik me. 's Nachts rukte ik planten uit zijn tuin. Ik ontlastte me tussen zijn rozen. Ik plaste in zijn visvijver.

Het spijt me, zou ik zeggen, als hij de moed had om naar buiten te komen. Het spijt me zo.

Later heb ik het nooit meer gewild, het moeten gaan naar huizen die gesloten kunnen zijn, het bellen naar telefoons die misschien niet zullen worden opgenomen. Ik heb mensen laten komen naar mij. Ik heb ze laten bellen, schrijven, smeken, aandringen.

Ook zijn gedichten heb ik op een dag naar het antiquariaat teruggebracht. Ze stelden niet veel voor, dat zei iedereen aan wie ik ze liet lezen en dat vond ik zelf ook. Misschien vond iedereen ze destijds zo goed omdat niemand ze had gelezen, omdat ze alleen het romantische verhaal kenden over zijn wanhoop en verdriet. De antiquaar gaf me er twintig procent minder voor dan ik had betaald.

Beter dan niets, dacht ik. Ik ben nog altijd een zuinig mens.

Ook aan de tante die me ooit geld had gegeven en het nog altijd jammer vond dat ik geen actrice was geworden, liet ik ze zien. Ik vertelde haar dat ik de dichter had gekend.

'Hij kwam soms kijken,' zei ik, 'als wij poseerden.'

Ze bladerde in de bundel, las een enkele regel hardop, glimlachte zoals iedereen om de gezwollen retoriek.

'Maar ze zijn niet voor jou geschreven,' zei ze.

'Nee,' zei ik en voelde me ijskoud.

Een medisch wonder

ARNON GRUNBERG

Mijn liefje woont in 101st Street, tussen Broadway en Amsterdam. Ze heeft geen gevoel voor humor, een kind van zeven en een snor.

Waarmee ik niet wil suggereren dat ik wél gevoel voor humor heb, of kinderen. Ik heb ook geen snor. Ik heb helemaal geen baardgroei, op drie haren na die onderaan mijn kin groeien. Als ik ze niet afknip, lijk ik op een geitje.

Mijn moeder zegt dat de schepper van mens en dier van diversiteit houdt, en dat het daarom komt dat er vrouwen met baarden zijn en mannen zonder haren op hun wangen.

Ik ben 32, heb nog nooit gewerkt, of de liefde leren kennen, ook heb ik nog nooit een zelfmoordpoging gedaan. Toch ben ik bij mijn volle verstand.

Ik ben maar liefst drie keer geopereerd, een keer zelfs in Californië bij een wereldberoemde chirurg, maar het heeft niet geholpen. Ik draag speciale schoenen, zwarte laarsjes met hoge hakken, maar ook dat helpt niet. Waarschijnlijk ga ik op zijn snelst twaalf kilometer per uur. Er zijn dieren die sneller gaan dan auto's.

Als mensen mij zien, staren ze me een paar seconden aan, of ze kijken heel snel weg. Als ik in de supermarkt wil afrekenen, wordt mij vaak gevraagd: 'Heb je wel centjes bij je?'

Ze laten me ook vaak voorgaan. Als ik val, wat ook

wel eens gebeurt, komen mensen om mij heen staan en dan roepen ze: 'Opstaan jongen, het is te koud om op straat te blijven liggen.' Of: 'We moeten een dokter bellen, hij is niet goed, dat zie je toch?'

Soms laat ik me expres vallen, om te kijken wat er gebeurt. Ik ben niet bang mijzelf te verwonden. Ook kan ik heel goed doen alsof ik een hartinfarct krijg. Ik kan mijn adem zó lang inhouden, dat mijn gezicht blauw wordt en mijn lippen paars. Toen mijn tante 25 jaar getrouwd was, heb ik dat gedaan. Er was een groot feest in de Catskills. Ze wilden me reanimeren. En mijn oom was al begonnen het gebed voor de doden te zeggen.

Toen ik klein was, wilde ik bij het circus, maar mijn ouders hebben me dat verboden. Een mevrouw in de straat geeft mij haar oude kleren. Ik weet niet waarom ze denkt dat ik oude kleren nodig heb als mijn moeder allemaal nieuwe kleren voor me koopt.

Ook geeft die mevrouw me snoepjes. Meestal zijn het zuurtjes, die gooi ik weg, maar als ze me chocolade geeft, eet ik het meteen op. Ze is heel gierig, ze geeft me bijna nooit chocolade. Ik ben dol op chocolade. Als er een volgend leven bestaat, word ik waarschijnlijk een hond met hele sterke tanden.

Mijn ouders hebben veel om mij gehuild, want ze hadden liever een gezond kind gekregen. Ook hebben ze veel ruzie om mij gemaakt, want ze gaven elkaar de schuld van mijn defecten. De wereldberoemde chirurg had het steeds over mijn defecten. Hij zei ook: 'Jullie moeten in mijn buitenhuis komen.' Maar toen de operatie mislukte, hebben we hem nooit meer gezien. De schepper van mens en dier houdt misschien wel van diversiteit, maar de mensen zelf beslist niet. Mijn ouders hadden al drie gezonde kinderen en toch konden ze er maar niet genoeg van krijgen. Na mij hebben ze het krijgen van kinderen gestaakt.

Waarom ze het niet eerder hebben gestaakt, weet ik niet. Ik voel geen enkele behoefte mij voort te planten. Wel zou ik de liefde van dichtbij willen leren kennen. Tot nu toe heb ik de liefde alleen op televisie gezien. Dat houdt niet over. Ook zijn de operaties gestaakt. Ik word niet meer geopereerd, ik werd er alleen maar zieker van, en voor mijn moeder was het ook niet goed. Die liep rondjes voor de operatiekamer en wilde de hele tijd naar binnen, terwijl ze wist dat dat niet mocht. Eén keer was het zó erg, dat ze haar vast hebben moeten binden omdat de operatie al acht uur duurde en ze dacht dat ik gestorven was onder het mes. Ze hebben haar pas losgemaakt toen ik bij was gekomen uit narcose en toen heeft ze me het hele verhaal in geuren en kleuren verteld.

Als mensen dood zijn, is haast nergens meer goed voor. Daarom rijden rouwwagens ook zo langzaam.

Ik krijg alleen nog maar tabletten. Ik krijg ook geen injecties meer en er is ook bijna niemand meer die op mijn hoofd slaat.

Mijn moeder zegt dat het er voor een man niet toe doet of hij knap is. Of niet.

Mijn broer Jamie is zo gezond, dat hij alleen maar over geld praat.

Naar menselijke maatstaven gemeten ben ik niet monsterlijk, maar wel afschrikwekkend.

Tot mijn zestiende dachten ze dat ik niet goed bij mijn hoofd was. Dat kwam omdat ik nooit praatte, maar wel veel kwijlde. Mijn mond ging niet goed dicht. Mijn moeder bond mij fondueservetten om, omdat anders al mijn T-shirts en truien geel zouden worden.

Ook riep ze vaak: 'Als ik zie wat voor rotzooi het hier is, kan ik wel huilen.'

En dan riep mijn vader: 'Daarvan ben ik niet onder de indruk.'

Ik liep die hele dag met die fondueservetten om door het huis, maar als er visite kwam, werd ik opgeborgen in mijn kamer. Nu gaat mijn mond wel dicht. Soms loopt er nog wel wat uit, maar veel minder dan vroeger. De wetenschap gaat met sprongen vooruit. De wereldberoemde chirug zei dat als ik honderd jaar later was geboren ik misschien wel een atleet had kunnen worden.

Mijn vader was eigenaar van een hoeden- en mutsenfabriek. Hij is heel klein begonnen, en heeft de fabriek tijdig verkocht. Voor zover ik weet, hebben mijn vader en moeder na mijn geboorte nooit meer in één slaapkamer geslapen. Mijn moeder had een vriend die huisarts is, maar het was niet haar eigen huisarts. Ik ben verwekt in Sankt Moritz. Dat ligt in Zwitserland. Ze waren op skivakantie. Ik weet ook precies waar mijn broers en zus zijn verwekt. Ik ben erg goed in aardrijkskunde.

Alle families hebben verschrikkelijke geheimen die ze verborgen proberen te houden. Ik ben het verschrikkelijke geheim van de familie Jungfrau. Ik ben Karl Jungfrau, maar iedereen noemt me Karl en ik ben een medisch wonder.

Ik heb het hart van een twintigjarige die bij een autoongeluk om het leven is gekomen. We mogen de naam van die twintigjarige niet weten. Ik had wel met zijn familie kennis willen maken. Mijn hart heeft heel lang op ijs gelegen voor het in mijn lichaam werd gestopt en het moest helemaal uit Maine komen. Ik vind het een grappig idee dat mijn hart zolang op ijs heeft gelegen. Als er een lange rij in de snoepwinkel is, roep ik: 'Uit de weg, ik ben een medisch wonder.' En dan begin ik met mijn armen te zwaaien en heel hard te rochelen. Een medisch tijdschrift heeft ook al een keer foto's van mij genomen.

Mijn ouders hebben me altijd verteld dat het gevaarlijk voor me is alleen de straat op te gaan. Mijn vaders bijnaam was hoeden-Jungfrau, vanwege de hoedenfabriek. Zelf droeg hij nooit hoeden en ook geen mutsen, want hij was heel klein en hij was bang dat hij er met een muts als een tuinkabouter uit zou zien.

Ik ben er trots op een verschrikkelijk geheim te zijn, een straf van God, zo ben ik ook wel genoemd. En een nazaat van de duivel. Mijn broers en mijn zus zijn geen verschrikkelijke geheimen, zij zijn gewone mensen.

Volgens mijn moeder is mijn vader met al zijn vrouwelijke personeel naar bed gegaan en soms zelfs een weekendje naar Florida. Ook is het in haar eigen bed gebeurd en in haar badkamer en ze aten ook de halve koelkast leeg. Mijn vader was een romanticus. Na mijn geboorte werd het alleen maar erger. Toen ik zeven was, werd mijn vader biseksueel, dus ook dat heb ik op mijn geweten.

Of hij nog steeds biseksueel is, weten we niet, want sinds hij in Zuid-Amerika zit, horen we bijna nooit meer iets van hem.

Toen ik zeven was, begon mijn vader mannen mee naar huis te nemen, en het werd zo vol bij ons thuis dat mijn moeder geen lucht meer kreeg en mijn oudste broer besloot in Londen te studeren.

Ik heb heel veel in atlassen gelezen.

Als mensen iets met me doen wat ik niet wil, bijt ik ze. Ze hebben me naar een school gestuurd voor gestoorde kinderen. Ik heb daar niets gedaan, alleen maar naar de gestoorde kinderen gekeken, en de leraren, zo kwam ik tot de conclusie dat ik zelf niet gestoord ben. De andere kinderen waren jaloers op me, omdat ik een medisch wonder was.

Mijn moeder zegt dat er niet veel verschil zit tussen een genie en een geestelijk gestoord iemand. Ik ken vier sonnetten van Shakespeare uit mijn hoofd. Die declameerde ik altijd op verjaardagen. Ook bij de kinderarts declameerde ik sonnetten van Shakespeare, want ik kende ze al uit mijn hoofd toen ik acht was. Ik kan heel veel onthouden. Ook heb ik een tijd piano gestudeerd, maar dat ging minder goed, want motorisch ben ik gestoord.

Ik heb twee broers en een zus. Mijn ene broer is longarts, en de ander verkoopt voor vijftig miljoen dollar per jaar aan advertenties.

Mijn vader is in Zuid-Amerika hertrouwd, maar we weten niet met wie, mijn moeder woont drie blokken verderop en zegt dat het tijd is dat ze aan zichzelf denkt. Ze zit zelfs op een cursus waar ze haar leren hoe ze meer aan zichzelf moet denken en minder aan haar gezin. Voor mij is zo'n cursus overbodig. Toen mijn vader biseksueel werd, ging mijn moeder kapot. Op mijn geboorte na was dat het ergste wat haar was overkomen. 'Waarom blijft mij geen schande bespaard?' heb ik haar vaak horen roepen.

Eerst heeft ze een zelfmoordpoging gedaan in haar slaapkamer en later nog een in het huis van haar beste vriendin die ik altijd tante Ellen moet noemen. Iedereen sprak er schande van dat ze zich in het huis van tante Ellen van het leven wilde beroven. Want tante Ellen had er een hoop overlast aan. En de man van tante Ellen was er vier weken depressief van en hij heeft mijn moeder nooit meer aan willen kijken. Hij vindt zelfmoord een zonde. De vriend van mijn vader zei: 'Er zijn toch bruggen?!'

Na de poging in het huis van tante Ellen heeft ze nooit meer een zelfmoordpoging gedaan. Wel zei ze herhaaldelijk: 'Ik zet jullie allemaal in de auto en rijd de Hudson in.'

Mijn ouders, mijn broers en mijn zus hebben me altijd ontzien. Maar ik heb ze niet ontzien. Eén keer heb ik mijn zus zo hard in haar borst gebeten, dat ze naar het ziekenhuis moest.

Bij het huwelijk van mijn oudste broer was ik niet aanwezig. Bij het huwelijk van mijn zus was ik er wel. Toen de rabbijn mij wilde zegenen, heb ik hem in zijn vinger gebeten. Ze moesten me met een paraplu op mijn hoofd slaan voor ik losliet. Later bleek dat hij me helemaal niet wilde zegenen, alleen maar begroeten. Ik wil niet dat mensen mij begroeten door hun hand op mijn hoofd te leggen, ik wil eigenlijk helemaal niet dat mensen mij begroeten.

Mijn moeder zegt dat als ik er niet was geweest mijn vader waarschijnlijk niet van haar was gescheiden. En ook niet op mannen was gevallen. Ik heb mijn moeder weleens horen zeggen dat een ongezond kind de ergste straf is die God je op kan leggen. Ook zegt ze dat depressieve mensen geen zin hebben in seks en dat antidepressiva je vanbinnen helemaal uitdrogen. En ook dat mijn vader altijd een enorme honger had nadat hij met mijn moeder naar bed was gegaan en dat ze dan midden in de nacht eieren voor hem moest bakken.

Vroeger slikte ik heel veel medicijnen. Nu krijg ik nog alleen maar homeopathische tabletten. Ik zie de homeopaat één keer per week. Hij was vroeger een glazenwasser. Maar hij heeft mij verteld dat het glazenwassen hem niet ver heeft gebracht in deze wereld. Toen ontdekte hij geheimzinnige krachten in zichzelf en werd een heel beroemde natuurgenezer. Hij is ook op televisie geweest. Mij geeft hij tabletten waarvan hij zegt: 'In één tablet zitten wel zestig tomaten.'

Ik heb uitgerekend dat ik op die manier wel 240 tomaten per dag eet. Verder eet ik voornamelijk koekjes.

Op mijn 24ste kochten mijn ouders deze studio voor me, zodat ze me niet de hele tijd in mijn kamer op hoefden te sluiten en toch een oogje in het zeil konden houden. Niet lang daarna is mijn vader wakker geworden in de armen van zijn vriend. Een man die altijd in zwarte pakken rondliep en die als je hem vroeg: 'Hoe gaat het?' antwoordde: 'Elke dag beter.'

Iedere morgen, behalve in het weekend, komt hier de werkster. Ze is heel oud en heel gelovig, en heeft zes kinderen. Ze is geboren in El Salvador. Ze denkt dat ik een directe afstammeling van de duivel ben. Maar mijn moeder betaalt haar heel goed, daarom heeft ze geen keus en komt toch bij mij schoonmaken. Ik heb mijn moeder beloofd de werkster geen schrik aan te jagen. Soms kan ik het niet laten en toon haar mijn geslacht. Dan rent ze weg of duwt me met de zwabber van zich af. Eén keer heeft ze me met de kop van de stofzuiger een oorvijg gegeven, zodat mijn bril kapot ging. Maar mijn moeder heeft dat gezien en die heeft de werkster toen uitgelegd dat de kop van de stofzuiger niet bedoeld is om mij een oorvijg mee te geven. Er zijn wel meer mensen die denken dat ik een directe afstammeling van de duivel ben. Ik ben zo vaak op mijn hoofd geslagen dat waarschijnlijk de helft van mijn hersenen zijn gestorven en nu nutteloos door mijn hoofd zwemmen als worstjes in een blik. De homeopaat heeft mij uitgelegd dat er in de hoofden van alle mensen heel veel hersenen nutteloos rondzwemmen. En ook dat als ik minder vaak mensen had gebeten ik ook minder op mijn hoofd was geslagen. Ik heb vijf brillen, omdat mijn brillen heel vaak kapot gaan.

De homeopaat heb ik nog nooit mijn geslacht getoond. Dat mocht hij willen. Hij krijgt driehonderd dollar voor een consult, en de tabletten waarin zestig tomaten zijn samengebald kosten net zoiets.

Sinds de zelfmoordpogingen gaat mijn moeder altijd met een zonnebril de straat op, soms kookt ze ook met een zonnebril op. Vroeger hadden we een Spaanse die voor ons kookte, maar nu mijn vader er niet meer is, kunnen we ons dat niet meer permitteren.

Ik heb de afscheidsbrief van mijn moeder bewaard. Het is de mooiste brief die ze me ooit heeft geschreven. Verder heeft ze me niet heel veel brieven geschreven. Hij ligt in de la onder de telefoon. Ze wil niet dat ik de afscheidsbrief lees. Ze zegt: 'Ik ben er toch nog, die brief is niet meer geldig Karl, ik leef.'

Tante Ellen heeft verteld dat het niet goed is je van het leven te beroven, omdat je dat soort beslissingen aan God moet overlaten. Tante Ellen heeft nog maar één borst.

Eigenlijk mag ik niet alleen naar buiten, maar in het keukenkastje boven de gootsteen heeft mijn moeder de sleutel van het appartement gestopt, voor als er brand is. Als ze het ontdekt, wordt ze woedend, maar ik ga stiekem weleens de studio uit. Ik ben vier keer weggelopen. Eén keer ben ik zelfs tot Albany gekomen.

Wat ik minder leuk vind, is dat er heel veel mensen zijn die afscheidsbrieven van mijn moeder hebben gekregen. Maar ik heb de mooiste afscheidsbrief. Soms lees ik hem hardop voor aan mezelf en dan moet ik huilen.

Mijn liefje geeft mij bewegingslessen, dinsdag van drie tot vier en donderdag van tien tot elf. Ze heet Jaqueline Besniz. Jaqueline Besniz. Dat is een belangrijke naam. Daarom heb ik hem ook overal opgeschreven. Mijn moeder noemt haar juffrouw Besniz. In het begin zei juffrouw Besniz altijd: 'Dag Karl, wat zie je er goed uit vandaag.' Want mijn moeder kleedt me altijd speciaal aan voor juffrouw Besniz. Mijn v-halstrui met de blauwe strepen. Als ik naar juffrouw Besniz ga, bindt ze me geen fondueservetten om.

Juffrouw Besniz heeft gezegd dat ik beter moet leren lopen en dat zij er was om mij beter te leren lopen. Dat de wereld er anders uit zou zien als ik beter kon lopen. Toen heb ik alleen geantwoord: 'Ik ben niet gek.'

Haar kind heet Fleur. Ik haat het kind. Ik haat alle kinderen. Ik heb nooit met kinderen kunnen opschieten. Ik zou graag met juffrouw Besniz willen trouwen.

Op mijn rechtertepel groeit ook een haar. Ik heb de haar aan juffrouw Besniz laten zien, maar ze wilde er niet echt goed naar kijken. Wel streelt ze af en toe mijn nek. Ik moet bij haar op een blauw matje op de grond liggen en dan met mijn benen in de lucht fietsbewegingen maken. Ik heb juffrouw Besniz gevraagd of het niet gek is dat een man van 32 op een matje gaat liggen om met zijn benen in de lucht fietsbewegingen te maken. Juffrouw Besniz heeft gezegd dat veel mannen van 32 dat doen. Helemaal als ze bij haar komen.

Juffrouw Besniz heeft lange zwarte haren, ook haar snorharen zijn zwart en volgens mij groeien er kleine witte haartjes op haar wangen, maar dat moet ik nog onderzoeken. Ik zou willen dat juffrouw Besniz op mij ging zitten en haar wangen met de witte haren tegen mijn wangen aanschuurt. Ze heeft de mooiste ogen die ik ken, droevige bruine ogen. Ik denk dat er 's nachts zoveel water uit haar ogen loopt, dat je er wel een regenton mee zou kunnen vullen.

Juffrouw Besniz is eenzaam. Ik wil haar liefde geven. Ik wil liefde geven aan mensen die liefde nodig hebben. Ik ben nog niemand tegengekomen die mijn liefde nodig heeft. Behalve juffrouw Besniz. Ik ben nog nooit iemand tegengekomen die iets van mij nodig heeft, behalve juffrouw Besniz.

Ze durft het alleen nog niet te zeggen. Wat ze wel zegt is dit: 'Muziek gaat boven alles.' Daarom moet ik mijn oefeningen altijd op muziek doen. Ze is heel ernstig, maar ze heeft ook veel geleden. Er zijn ook mensen die veel geleden hebben en die niet ernstig zijn. Het is dus niet te zeggen hoe het komt dat sommige mensen zo ernstig zijn als juffrouw Besniz. Ik moet haar Jaqueline noemen.

Als ik heel erg mijn best doe, kan ik twaalf kilometer per uur gaan, maar dat houd ik niet lang vol. De gewone dokter zei dat het binnen twee jaar helemaal afgelopen zou zijn met lopen, daarom hebben ze me naar een natuurgenezer gestuurd, want die gaf me nog wel een kansje.

Mijn geslacht is zo gespikkeld als een ei van een zeldzaam vogelsoort. Het grootste gedeelte van mijn lijf is gespikkeld van alle medicijnen en injecties die ik al die jaren heb gekregen. Daarom geeft de homeopaat me alleen nog maar tabletten waarin zestig tomaten zitten verwerkt.

Als het medicijnenkastje niet op slot zat, zou ik er heen gaan en alles in een keer opeten.

Mijn voeten zijn niet gespikkeld. Tante Ellen zegt dat het leven een voorbereiding is op de dood. Dat belooft niet veel goeds.

Mijn moeder heeft een relatie met een Libanees. Hij draagt twee armbanden en een ketting en schijnt heel rijk te zijn. Het is een seksuele relatie en niet meer dan dat. Ze heeft heel veel gemist al die jaren en nu wil ze alles inhalen. 'Ik heb mijn leven geofferd aan mijn gezin,' zegt ze, 'en dit is mijn laatste kans om het sap uit de vrucht te persen.'

Ik word niet oud. Als ik zo oud ben als mijn moeder nu is, ben ik waarschijnlijk al tien jaar dood.

De wereldberoemde chirurg zei dat er nog nooit iemand onder zijn handen was gestorven. Hij zei: 'Ik heb heel wat mensen die al halverwege waren teruggehaald.' En toen keek hij naar zijn handen, en wij keken ook allemaal naar zijn handen. Er was niets aan die handen te zien.

Als ik halverwege ben, wil ik niet meer worden teruggehaald. Ik ben al vier keer gereanimeerd en ik weet nu wel hoe dat gaat.

Het is 31 december 1997, halfacht 's avonds.

Ik ga Oud en Nieuw vieren bij Jaqueline Besniz. Ik ben eerder weggelopen, maar toen had ik geen doel. Misschien heeft juffrouw Besniz ook een haar op haar tepel.

Ik wil haar bedelven met liefde, ik heb nog nooit liefde gegeven, daarom heb ik zoveel in voorraad.

Ze kwijlt nooit, maar ze lacht ook bijna nooit.

Ik wil naar het oerwoud waar dieren zijn die sneller gaan dan auto's.

Juffrouw Besniz rookt alleen 's avonds. Ze draagt geen make-up en heeft grote pantoffels waarin koeien te herkennen zijn. Daarop loopt ze als ze alleen is. Ze gaat samen met haar dochter in bad en dan worden haar haren door haar dochter gewassen en dan is ze gelukkig.

Juffrouw Besniz vertelt mij veel.

Ik hoop dat ze op me gaat zitten en mijn gespikkelde geslacht in haar handen neemt en het dan gebruikt om haar voeten mee te kietelen, zodat ze eindelijk in lachen zal uitbarsten.

Ik kan in anderhalf uur bij juffrouw Besniz zijn. Ik doe handschoenen aan. Het is koud buiten, maar ik heb heel veel mutsen die nog over zijn van de fabriek van mijn vader.

Ik hoop ook dat juffrouw Besniz een navel heeft waar ik heel lang naar mag kijken en waartegen ik mijn oor mag aandrukken, want ik houd van de geluiden die uit de buiken van mensen komen.

Mijn tanden zijn scherp. Ik heb van alles doormidden gebeten om te kijken hoe scherp mijn tanden zijn.

Ik wil juffrouw Besniz een afscheidsbrief schrijven die net zo mooi zal zijn als de afscheidsbrief van mijn moeder.

Ze belde me in de middag. 'Heb je mijn brief gekregen?' vroeg mijn moeder.

'Oh Karl,' zei ze, 'vergeet het, vergeet het, ik leef, ik leef.' En toen begon ze heel hard te huilen en daarna kreeg ik de dokter aan de telefoon die zei dat haar toestand stabiel was. Maar dat ik haar niet mocht zien.

Ze kreeg medicijnen waar ze vrolijk van werd, maar die medicijnen waren zo scherp dat haar maagwand zowat is geperforeerd. De homeopaat zegt dat dat ervan komt als je medicijnen slikt die niet door natuurgenezers zijn voorgeschreven. Hoe mijn maagwand eruitziet wil ik niet weten. In sommige plaatsen in India worden de doden op een hoge toren gelegd en dan eten de vogels alles op. Er blijft niets liggen.

Ik zou liever door vogels willen worden opgegeten dan door wormen en andere insecten waarvan ik de naam niet ken.

Ik heb gevraagd of ik na mijn dood op een hoge toren gelegd kon worden. Mijn moeder zei dat dat niet ging, en mijn broer die advertenties verkoopt legde uit dat er wetten zijn die het uitdrukkelijk verbieden doden op hoge torens te leggen, en dat als we het toch zouden doen we heel veel boete zouden moeten betalen. Ik heb me erbij neergelegd dat ik niet op een hoge toren word gelegd en dat ik ook niet door vogels zal worden opgegeten. Als je verbrandt, word je door niemand opgegeten.

Mijn broer heeft verteld dat er voedselproblemen zijn, daarom vind ik dat niemand moet worden verbrand. Als de beesten veel eten worden ze heel dik, en hoe dikker de beesten, hoe meer vlees eraan zit voor de mensen.

Ik heb juffrouw Besniz gevraagd door welk beest zij zou willen worden opgegeten, maar toen legde ze haar hand op mijn mond.

Het liefst zou ik door een koninklijk beest als de zwarte panter willen worden verscheurd. Het liefst door tien zwarte panters die om mijn vlees vechten. Om mijn vlees is nog nooit gevochten. Het moet heerlijk zijn als er om je vlees gevochten wordt.

Ik wil dat juffrouw Besniz om mijn vlees gaat vechten.

Daarom ga ik Oud en Nieuw met haar vieren. Omdat ze mijn liefje is.

Mijn broers en mijn zus hebben lang vergaderd over

mijn moeder. Ze willen per se dat mijn moeder op een natuurlijke manier aan haar eind komt. Mij maakt het niet zoveel uit hoe ze aan haar eind komt als ze nog maar even wacht.

Tante Ellen zit in het bestuur van de begraafplaats en ze heeft de mooiste plaatsjes voor ons gereserveerd, omdat we zoveel voor haar hebben gedaan toen ze het moeilijk had.

We krijgen een familiegraf, alleen mijn vader mag er niet meer in.

Waarschijnlijk ben ik de eerste die in het familiegraf komt te liggen. De homeopaat weet dat nog zo net niet. 'Misschien loopt je zus wel onder een auto,' zegt hij, 'het leven zit vol verrassingen.'

We krijgen een marmeren steen die vier meter hoog is, want mijn moeder wil dat ze ons al van verre kunnen zien.

Ik zou het liefst willen dat juffrouw Besniz ook in het familiegraf komt te liggen. Toen ik haar dat voorstelde, zei ze dat het fout was er dergelijke fantasieën op na te houden en dat ik mij op het leven moest richten.

Als ik naar haar toe ga, richt ik mij op het leven.

Ik houd erg van Arabische muziek. Daar dans ik op, als niemand mij ziet. Habibi, habibi, habibi.

Er waren doktoren die hadden voorspeld dat ik al dood zou zijn op mijn achttiende. Maar die hebben het dus helemaal mis gehad en dat heeft mijn moeder ze ook laten weten.

De twee wezen

JEAN-PAUL FRANSSENS

In het toneelzaaltje waar ik me als leerlingacteur kwam presenteren, zitten ze bij elkaar, de komedianten van *Het Theater met een Lach en een Traan*. Ik ben 18 jaar en net gewogen en goed bevonden. Ik word gefeliciteerd met mijn contract. De vrouw van de toneeldirecteur geeft me zowaar een kus.

'Die jongen is hartstikke goed.' Vijftien gulden per voorstelling. Ik moet een zomer- en winterpak kopen. Daar krijg ik een voorschot op. Er wordt dan elk avond een rijksdaalder van mijn gage afgehouden.

Ik zit naast Sijsje Rook. 'Is dat je artiestennaam?' vraag ik. Nee, zo heet ze echt. Ze is niet veel ouder dan ik. Met haar zal ik veel samenspel hebben, zegt mijn nieuwe baas met een vette glimlach als zijn vrouw even de andere kant opkijkt.

'Jullie spelen immers in alle stukken het liefdespaar.'

Nou, die Sijsje Rook bevalt me wel. Die vlechtjes staan een beetje kinderachtig. Ze ruikt naar rozenolie.

'Lekker, hè? Ik hou van exotisch. Ik heb zelfs een klamboe in mijn kamer. Ik brand wierook. Kun je goed uit je hoofd leren? Ik help je er wel doorheen. We moeten toch alles samen doen?'

Zeg dat wel, Sijsje. Na mijn eerste voorstelling speel ik weldra het ene stuk na het andere. Sijsje is altijd aan mijn zijde. Op het toneel en daar achter. We kennen in alle toneelzalen van de plattelandscafés al gauw de plekken waar we even kordaat en zonder al te veel omhaal kunnen klaarkomen. Er is altijd wel ergens een stal, opbergkast of zolder te vinden. We schuwen niets. Geen onbemande wc is ons te vies. Als er iemand voor de deur staat te wachten en we komen naar buiten slaan we onze ogen heus niet neer. Onze directeur zegt het toch zelf: we zijn één grote familie.

In het voorjaar, in de moestuin van het toneelcafé, achter de bessenstruiken die in bloei staan, net als wij. O, wat zijn we jong! We barsten zo'n beetje, als we elkaar aanraken. Wat een heerlijke tijd en dan ook nog elke avond 15 gulden toe, want mijn pakken zijn al lang afbetaald. Ach mijn Sijsje, wat ben je leuk.

In de herfst sluipen we een kamertje met een slapende baby binnen. 'Zachtjes, rustig aan, niet te wild, maak dat kindje niet wakker,' zegt Sijsje.

In de winter trotseren we een tochtige schuur, het gaat toch om de liefde niet waar? Dat vindt Sijsje ook. Hoe kun je nu op het toneel verliefdheid spelen als je er achter het toneel niet veelvuldig aan werkt? Liefde moet altijd voorrang hebben. Er is al genoeg ellende in de wereld.

We doen het achter een beschilderd bos. We hebben zelfs een keer een stuk coulisse omver gevrijd. Gelukkig was het doek nog dicht. We doen het in ons toneelkostuum buiten in de regen, omdat er nergens plek meer is, zodat we daarna kletsnat met verward haar voor het voetlicht staan.

Maar goed, zo zijn we nu eenmaal, Sijsje en ik, omdat we maar één bestemming hebben, één missie kennen en volgen onbeschroomd ons lot: zo vaak en zo veel mogelijk vleselijke gemeenschap.

Onze toneelbaas doet goede zaken. Hij sluit de ene

uitkoop na de andere af. Dus zien we elkaar toch gauw drie, soms vier keer per week.

Sijsje met haar rozenolie. Blauwe ogen. Turkooizen. Ze is eerlijk gezegd niet echt knap. Die ogen zijn wel mooi van kleur, maar eigenlijk een beetje te klein. Ze is zacht om aan te pakken. Kuiltjes in de wangen, die haar een beetje een dommige uitdrukking geven, maar waar ik nu juist gek op ben. Die slimme meiden die alles beter weten, daar heb ik geen boodschap aan.

Ze draagt geen bh. Niet nodig. Moet je nagaan wat voor voordelen dat heeft als ik in het vw-busje naast haar zit. In de winter is het ook op de heenweg donker in de bus. Naast ons zit de inspiciënt. Die is gelukkig doof aan onze kant. Een lieve, vriendelijke man met veel innerlijke beschaving, want hij kijkt altijd de andere kant op en zit zo dicht mogelijk tegen de deur aan, zodat we de ruimte hebben, Sijsje en ik. Als Sijs met onderdrukte uithaaltjes klaarkomt, fluit of zingt hij uitbundig een smartlap uit de vorige eeuw.

Zodra we de stad uitrijden, zit ik al met een hand onder de ruime trui van mijn Sijsje. Weet je dat ze voor het gemak, als we een end uit de buurt moeten optreden, geen directoirtje aan heeft? Alles voor onderweg. Ze heeft altijd iets bij zich. Chocolaatjes die we uit elkaars mond met veel spuug opzuigen.

'Dat jij dat soort dingen ook allemaal zo lekker vindt. Je zou mijn bed moeten zien. Roze tule boven mijn hoofd. Ik heb er droogbloemen in gestoken. Ik heb een Chinese peignoir. Die trek ik aan als ik naar bed ga. Dat hoort wel niet, maar ik vind die zijde zo zacht als je er niks onder aan hebt. Wat erg dat ik nog bij mijn ouders woon. Anders konden we dag en nacht bij elkaar zijn. Stel je je dat eens voor. Ik neem die peignoir wel mee als we *De twee wezen* spelen. Dan kun je hem voelen. Dan hebben we toch alle tijd? Gaan we op zolder boven het toneel liggen. Waar dat kleine lampje aan kan. Kun je alles zien. Was het maar zover. We doen het zolderluik dicht. Je kunt woord voor woord verstaan wat ze beneden zeggen. Dus we zorgen dat we op tijd opkomen. Neem je nog een chocolaatje? Ik zag het meteen toen je kwam om mee te doen bij het theater. Dat je net zoveel van toneelspelen zou gaan houden als ik. O, ik wilde dat we vanavond al *De twee wezen* moesten spelen.'

The King of Indoor Sports

HELGA RUEBSAMEN

Op het lyceum kregen wij 'lichamelijke oefeningen' van een stokoude elf, die nog alles zelf voordeed, spreidsprongen, sluitsprongen, tot vogelnestjes aan de ringen toe, met krakende gewrichten. Maar voor de harde buitensporten, die veel meer aanzien genoten omdat zij leidden tot interscholaire competities, had onze vooruitstrevende rector een Amerikaan aangekocht.

Jack. Hij zag er jonger uit dan alle andere leraren. Hij zag er eigenlijk helemaal niet uit als een leraar. Jack had altijd een blauwe ochtendschaduw en een sardonische grijns op zijn gezicht en daarbij de ongecompliceerde oogopslag van een wereldveroveraar. Zijn magere, gespierde gestalte zoefde door ons eerbiedwaardige gebouw. Hij droeg een handdoek in plaats van een sjaal om zijn hals. Binnen luttele tijd was hij het meest besproken onderwerp van de meisjes uit de hogere klassen. Onder de kastanjebomen op het schoolplein woedden de gefluisterde confidenties, de meisjes keken opgewonden uit hun ogen, maar hun stemmen klonken vaak zeer verontwaardigd.

Het hoe en waarom hiervan veinsde ik niet te willen weten, omdat ik al in het begin van mijn schoolleven had besloten overal buiten te blijven. Ik had mijn haar tot ongeveer op mijn hielen laten groeien, niet om op Lady Godiva te lijken, maar bij wijze van Tarnkappe. Onzichtbaar zijn leek mij in deze boze en achterlijke wereld nog maar het beste, dan behoefde men nergens aan deel te nemen. Vermaken kon men zich wel door toeschouwer te zijn van andermans capriolen, maar in plaats van deze dagelijkse werkelijkheid te bestuderen, las ik liever. Lezen werd, behalve door sommige bejaarde leraren, beschouwd als een bezigheid voor doetjes en mensen die niet durfden te leven. Wie het te veel deed, kreeg het aan zijn rug en zijn ogen. Welmenende moeders van vriendinnetjes zeiden bezorgd dat ik een muurbloem was, met mijn jampotbril. Ik had het echter aan mijzelf te wijten, dan had ik mijn ogen maar niet moeten verpesten met al dat turen in boeken.

Kafka was mijn idool. Uren kon ik verrukt naar zijn sombere beeltenis turen.

Ik had maar één afbeelding van Kafka, achter op een boek dat uit de kast van mijn vader kwam, op een al vergelend boekomslag. Wat dat betreft was ik in het nadeel vergeleken bij mijn klasgenoten die filmsterren spaarden. Kafka-plaatjes zaten nooit bij kauwgum of sigaretten.

Als er tussen de lessen pauzes vielen, trok ik mij terug in de fietsenkelder om onder een raampje vol spinrag alleen en ongestoord te kunnen lezen. Daarbij hoefde ik mijn jampotbril niet op, dat was een extra pluspunt van lezen. De bril had ik uitsluitend nodig om de banale buitenwereld te kunnen zien, hij zat dus vaker in mijn schooltas dan op mijn hoofd.

Aan de fietsenkelder grensde het domein van Jack. Hij heerste over een schemerige, koele ruimte met ijzeren kleedkastjes en hockeysticks en netten en ballen. Soms marcheerde hij lichtvoetig en schel fluitend langs mij heen en gaf mij, even halt houdend en zich omdraaiend, een stomp. Als was het bij nader inzien. Met die stomp op mijn arm gaf hij te kennen dat ik een doorn in zijn oog was. 'Een eihoofd,' zei hij. Ik gaf wijselijk geen sjoege. Hij keerde verend terug: 'En nog praatjes ook?'

Hij ging aan mijn haar trekken. Erger nog, hij tilde het op en keek er onder, hij keek mij in mijn ogen, van vlakbij. Hij blies in mijn gezicht en vroeg waarom hij mij nooit op het veld zag. Hij kneep in mijn armen en benen en stelde vast dat mijn ledematen stevig genoeg waren om een beetje flink aan sport te doen. Hij zei dat ik met mijn armen vast wel meer zou kunnen dan alleen maar een boek vasthouden.

Zoals altijd wanneer iemand mij te dicht naderde begon ik gedreven te liegen. Alle sport, meneer Jack, murmelde ik met neergeslagen oogleden, moest ik mij helaas ontzeggen want mijn glazen oog kon er bij de minste geringste beweging uitrollen. 'Jij hebt geen glazen oog!' riep Jack, maar toen hij nog meer haar wilde optillen om het te onderzoeken, trok ik mijn hoofd snel weg. 'Het staat je anders goed!' grijnsde hij en drukte een kus in mijn nek. Ik was onthutst.

Mijn hartsvriendje Tycho, het genie van de school, las Kant en sprak altijd vol verachting over de menselijke zucht naar genot. Toen ik hem, na school, op weg naar huis, dit staaltje van de sportleraar vertelde, zei hij diep zuchtend: 'Typisch. Maar jij laat je toch niet kennen, zeker? Gewoon daar blijven zitten, hoor, rustig blijven lezen.'

Eensgezind fietsten wij iedere middag terug naar huis, pratend over onze ervaringen van de afgelopen dag, zoals wij 's ochtends, pratend over onze leeservaringen van de afgelopen nacht, hand in hand naar school toe fietsten. Wij waren allebei buitenstaanders, vonden wij. Wij luisterden met onze hoofden tegen elkaar aan gelegd naar moeilijke muziek. Gemakkelijker dan Chopin maakten wij het ons niet. Op de huisfeestjes die opbloeiden zodra ouders afwezig waren, werden wij maar zelden uitgenodigd. Dit deerde ons niet, want daar danste men op de klanken van jazz, in plaats van deze interessante muziekvorm te analyseren.

Jack ging een paar weken weg om sportieve successen te oogsten met zijn jongens.

Ze kwamen gelauwerd terug en Jack verkeerde in een overwinningsroes.

'En nou jij nog, slome boekenwurm,' riep hij me toe, de eerste keer dat hij me weer in de fietsenkelder trof. Hij dook mijn territorium binnen. 'Jou ga ik kennis laten maken met The King of Indoor Sports,' trompetterde hij in mijn oor.

Plagend pakte hij mijn boek af, draaide het om en om, hield het plotseling stil bij de afbeelding van Kafka. Hij snoof verbaasd door zijn neus: 'Holy shit, die kop van die vent!' riep hij uit. 'Dat is waarschijnlijk de schrijver,' vervolgde hij verbouwereerd, enigszins verstoord zelfs, 'die vent lijkt verdomme op mij.'

Het was waar. Ik had mezelf nauwelijks toe durven geven dat ik de gelijkenis al veel en veel eerder had opgemerkt. Eigenlijk al meteen die eerste keer dat hij mijn haar optilde. Kafka en Jack, ze hadden tweelingbroers kunnen zijn en dan was Jack de vrolijke van de twee en die met de bredere kaken.

Voordat ik kennismaakte met The King of Indoor Sports haalde de leraar een badhanddoek uit zo'n ijzeren kleedkastje en legde die op de stekelige turnmat. 'Anders prikt het te veel aan knie en bil.'

Hij deelde ook mee dat hij zou stoppen als de maagd van beton zou blijken te zijn. Ik geloof eerlijk dat ik geen idee had wat hij bedoelde.

Nog geen tien minuten later begreep ik dat het hele geheimzinnige gedoe niets anders was dan een activiteit die ik al in mijn prille jaren had zien uitoefenen. Door de Canadezen, onze bevrijders. Zij deden het met iedereen die losliep en niet was kaalgeschoren, in het Haagsche Bos, op het Malieveld, waar niet al. Ik had het de achterlijkste bedrijvigheid gevonden die ik in mijn leven had aanschouwd. Toen had ik een en ander van buitenaf gadegeslagen, nu beleefde ik het van binnenin, maar dit wijzigde mijn mening nog voor geen millimeter.

Toen Jack gesmoord vroeg of ik het wel naar mijn zin had, antwoordde ik naar waarheid: 'Ik vind er weinig aan, meneer.'

Na afloop beweerde hij, met een hand op mijn schouder: 'De eerste keer lijkt wel vaker niks, maar dat is onwennigheid, maak je niet ongerust, de volgende keren wordt het beter en beter...'

'Voor mij hoeft het niet nog een keer, meneer.'

Na school, op weg naar huis, vertelde ik Tycho enthousiast dat wat mij betreft genotzucht totaal van de baan was.

'Waar iedereen zich zo druk over maakt!'

'Hoe bedoel je? Hoe zit dat dan?' vroeg mijn vriendje.

Ik beschreef hoe Jack had gemeend mij te kunnen winnen voor The King of Indoor Sports, dat potsierlijke gehannes.

Ik beschreef de turnmat, de badhanddoek, wat Jack had gedaan en wat hij erbij had gezegd, maar ik was nog niet eens op de helft toen Tycho sputterde, eventjes wankelde, ineens mijn hand losliet, gesmoord 'slet!' riep, als ik het althans goed verstond, en hard van mij wegfietste.

Illie, Billie en Belle

JESSICA DURLACHER

Ik kan me niet herinneren met iemand ooit zoveel gezoend te hebben als met William. Het was een puberaal gezoen dat begonnen was toen we dertien waren en met onderbrekingen ongeveer een jaar aanhield. Daarna verloren we elkaar een hele tijd uit het oog doordat onze ouders zo nodig moesten verhuizen. Toen we elkaar bij toeval (maar ik wist dat dat Het Lot was) opnieuw ontmoetten in de stad, tijdens de introductiedagen van de universiteit, in de disco, zijn we gewoon weer opnieuw begonnen.

Het viel mee, die eerste zoen na tien jaar; raar vertrouwd en toch helemaal nieuw, vol verwarrende gewaarwordingen die ik me niet toe wenste te staan omdat ik ineens helemaal opnieuw van dertien drieëntwintig moest worden. Ook voelde ik me een beetje bekeken, alsof ik moest bewijzen dat ik ineens barstte van de ervaring.

Het zoenen zelf was inderdaad voortreffelijk geworden, maar op Williams pogingen om er meer van te maken wilde ik op de een of andere manier nooit ingaan – de zin daarin viel altijd onmiddellijk weg zodra ik zijn grote goeiige hand naar mijn bh voelde kruipen. Misschien kwam dat doordat ik die handen zo goed kende van vroeger, toen ze kleiner waren en aanstellerig wild aan de snaren van zijn gitaar trokken. Ik kon me niet voorstellen dat hij er iets mee kon, iets dat me zou verbazen en opwinden en het was al heel snel traditie geworden dat ik zijn handen wegsloeg. Het was zo'n sterke traditie dat ik ze ook wegsloeg als ik niet zo zeker was van mijn gebrek aan zin. Of misschien was die zin er altijd wel, maar was ik gewoon bang dat de luchtige halfverliefde vriendschap zou ontaarden in iets ernstigs en persoonlijks dat me huilerig zou maken en sentimenteel – zodat ik het zou verpesten. Vooral als hij melancholieke liedjes voor me speelde, op zijn gitaar, was alles perfect. Spelen kon hij inmiddels wel. Het maakte me altijd erg zoenklaar, maar ook steeds weer dertien.

Zien deden we elkaar vrij vaak, maar ondanks de regelmaat van onze afspraken en ons vele geklets aan de telefoon, besteedde ik weinig gedachten aan William. Het was een behaaglijk gevoel dat hij er weer was en zoveel meer van me wilde dan ik gaf – maar het was toch alsof hij niet helemaal voor me bestond. Ik nam hem ook nooit mee naar huis, waar Illie hem zou kunnen zien.

De rest van mijn tijd bracht ik door met studeren, volwassen zijn en met Illie. Vanaf de zomervakantie deelden we een etage, Illie en ik, allebei in ons tweede jaar, allebei vol lichtzinnige ideeën over de nabije toekomst, en ik kon me niet herinneren me eerder met iemand zo op mijn gemak te hebben gevoeld. We hadden elkaar in september in de wandelgangen opnieuw ontmoet en opeens was daar de vriendschap die het hele eerste jaar zo'n beetje had liggen sluimeren. De basis ervan werd voornamelijk gevormd door opluchting; dat we elkaar tenminste kenden tussen al die vreemde hoofden. Het was een tamelijk gemakzuchtige grond voor vriendschap, en misschien niet de beste, maar hij voldeed. Alles wat in je eentje amateuristisch en lullig lijkt deden we samen.

Illie was verlegen bij vreemden, bijna bokkig, en lange tijd dacht ik dat dat kwam omdat haar gedachten vol oordelen zaten die ze wilde verbergen. Bij mij leek ze te ontspannen. Bij haar vergeleken voelde ik me bijna extravert en Illie lachte altijd en gemakkelijk om me. Zelf kon ze, maar alleen als we samen waren, buitengewoon vinnig, vals en grappig uit de hoek komen.

Ze was donkerder en kleiner dan ik en ook nogal mollig, wat een vaak beproefd gespreksonderwerp was. Ze was formeel altijd met die molligheid bezig maar had ook steeds net iets te veel trek om er iets aan te doen. Uiteindelijk kon het haar geloof ik niks schelen. Ik ben relatief lang en ik eet wat je noemt voorzichtig. Als ik eerlijk ben, ik vind mezelf behoorlijk wat mooier. Illie was gewoon Illie, soms bokkig, maar verder verbijsterend vrij van schaamte, zelfbewustzijn en al te extreme overgevoeligheden, een stoïcijns-zijn waar ik haar stiekem om benijdde – hoewel ik me er ook vagelijk superieur door voelde. Ik vermoedde dat ik slechter was.

Ergens in dat tweede jaar stond ik met William te praten op de stoep voor het universiteitsgebouw toen ik haar zag aankomen. Ik stelde er toendertijd een eer in om me in verschillende persoonlijkheden te verdelen onder mijn vrienden en ik had even de aanvechting om haar te negeren. Illie negeerde mijn lauwe blik.

'Haaai,' zei ze en ging voor me staan in een rare kokette houding. Het duurde even, maar toen had ik door dat ze wachtte op een reactie. 'How do you like the new me?'

Ze keek me strak aan, haar ogen zwaar van de eyeliner. Het was een verwijzing naar een gesprek over *total make-overs.* Ze verblufte me, ik weet niet of het uit schaamte was, of uit iets anders. Het was een mooi pak wat ze droeg, en ze vulde het flink, iets te flink misschien. 'Mooi zeg, nieuw?' zei ik, geheel overbodig, me schamend voor mijn schaamte. 'Maar hee, Il, we stonden op het punt om weg te gaan, zie ik je straks?'

Ik had haast. Ik wilde met William eten en daarna zoenen. Maar Illie was goed gehumeurd, heel goed. Ze bleef staan waar ze stond. Ik besefte dat ik ze aan elkaar moest voorstellen. 'Dit is Illie, Billetje.' William keek haar strak aan. 'Illie, Billie en Belle.' Er viel een onhandige stilte, alsof iemand iets wou zeggen maar niet durfde. Illie had iets intimiderends in dat nieuwe pak van haar en ze was helemaal niet bokkig. Verbijsterend onbokkig mag ik wel zeggen.

'Laten we eerst zuipen. Kom maar meisjes, kom maar billemeisjes, we gaan naar de kroeg,' zei William. Hij keek me veel te opgewekt. Ik knikte gemaakt onverschillig, maar mijn hart sloeg een slag over. Er klopte iets niet.

'Dat is een heel mooi pak, Illie,' deed William galant. Illie bedankte hem charmant, sprankelend, alsof de aandacht van onze gentleman haar eer aandeed. Ze liep naast hem, de gracht af op weg naar het café.

William keek naar mij om. 'Illie en ik hebben elkaar eerder ontmoet, Isabelletje, al weet ik niet meer precies waar.' Hij legde daarmee iets aan me uit, merkte ik en de nadruk lag op 'ik', God weet waarom.

Illie keek naar hem omhoog, veelbetekenend leek het.

'Introdagen!' legde ze uit, ook aan mij nota bene. Het scheelde niet veel of ze pakte zijn hand. Kleine groot geworden William.

'Verdomd!'

Ik trok venijnig aan zijn haar en hij kwam naast mij

lopen. Hij legde zijn hand op mijn rug, net onder mijn trui.

'En?' vroeg ik, 'was het fijn?'

William grijnsde. Ook Illie lachte vaag, zag ik van opzij.

'Dat was een ruig weekje volgens mij, hè William?'

Ik wist dat het de enige week was die William op de universiteit had doorgebracht en dat hij in die week tot het inzicht was gekomen dat hij daar in elk geval niet hoorde. Hij had muziekgeschiedenis willen studeren, maar vond de docente een takkenwijf, had hij gezegd. Die reden vond ik idioot, maar het had me niet verbaasd. Hij moest zelf muziek maken, niet studeren. Wel was ik een beetje beledigd geweest dat hij afgaf op mijn universiteit om zoiets stoms.

'Niet wat jij denkt, vieze Isa.' Williams hand schoot naar het bandje van mijn bh. Ik sloeg hem weg, maar ik kon niet verhinderen dat hij mijn rug nog snel even streelde. We liepen het café in.

'Hoor ik nog wat?'

'William had het heel druk,' zei Illie. Haar lach klonk behaagziek.

'O. Wat dan?' William keek afwerend.

'Schiet op! Wat dan?'

'Wat willen jullie drinken?'

Opeens licht in mijn hoofd liep ik achter ze aan naar een tafeltje. De broek van Illies pak was goed gesneden zodat je niet zag hoe dik haar dijen waren. Hij moest strak op haar ronde heupen zitten, en liep vanaf daar wijduit in keurige rechte vouwen naar beneden. Het jasje was het probleem, dat kon met een knoop maar net dicht tussen haar vrij zware borsten en op de plaats waar haar middel zat, trok het een beetje.

Er was een tafeltje vrij, een beetje achteraf. Uitgeput liet ik me op een stoeltje vallen.

Ik zag hoe William Illies borsten omvatte, met pak en al, en vervolgens haar broek uitdeed. Hij vouwde de broek op (nieuw, nietwaar) en liep terug naar de bank waar hij Illie overheen gehangen had. Het was Williams bank, ik kende die maar al te goed. Hij deed haar benen uit elkaar. Ik hoorde Illie zuchten. Het jasje zat wat in de weg, dat moest nu uit, en daarna haar topje. Ze richtte zich even op terwijl hij haar ontkleedde, waardoor je goed kon zien hoe weelderig ze was. Haar benen liepen van de tamelijk slanke knieën uit in forse, weke ronde dijen, waartussen het donkere haar schaamte- en hulpeloos krulde.

Illie was ineens een heerseres van vlees en bloed, met die krullen en die dijen. Haar borsten in een doorschijnende bh glorieerden boven een zacht, aandoenlijk bollend buikje. William pakte haar knie en liet zijn volle hand naar boven glijden om in de krullen te verdwalen. Illie hijgde toen Williams andere hand naar boven gleed. Hij maakte zijn vingers nat en draaide rondjes over haar tepels. Zijn andere hand bewoog zich beneden, net zo doelgericht. Het leek wel een pornofilm. Illie had haar hoofd naar achteren gegooid. William hijgde ook. Hij knoopte zijn gulp open.

Toen ik eenmaal zat ging het weer wat beter.

'Bel, ik ga even naar de wc,' zei Illie, en ze aaide me over mijn haar.

Nu zag ik Williams billen. Hij stond voor zijn bed, Illies benen over zijn schouders geslagen, en zijn billen bewogen zorgvuldig van voor naar achter. Ik keek hoe hij haar billen vasthield om zich beter in haar te kunnen drukken. Ik moest ineens denken aan een timmerman die een kast verlijmt. Vakmanschap. Haar buikje danste, en haar borsten schoven heen en weer op de bewegingen van hun razernij.

'Wat zit je daar stilletjes Isabeau,' daar kwam William met drie glazen en een schaaltje olijven. 'Waar is Illie?'

'Wc misschien?'

'Leuk meisje.'

'Vind jij dat een leuk meisje?'

'Ja, jij toch ook?'

'We hebben morgen een tentamen. We gaan zo.'

'We? Zijn wij dat of jullie?'

'Wij. Jullie.'

'Maar denk je niet dat vanavond het ideale moment is voor een nieuwe fase in onze zinderende relatie...' Opnieuw viel zijn hand per ongeluk op mijn truitje.

'Nee, ik dacht het niet, vind je het erg?'

'Ik had die week een beetje wat met die docente, oké?' vervolgde hij toegeeflijk.

'Met die Kirke?'

'Mmm.'

'En Illie?'

'Illie? Niks. Die snapte ons. We zoenden weet je wel. En Illie zag dat. So what, het betekende niks.'

'En Kirke?'

'Nooit meer gezien. Ze was veertig! Ik was gewoon dankbaar! Door haar kon ik op het conservatorium terecht. Dat dat lukte was toch te gek!'

'Ga je mond spoelen. Wat lukte er precies?' Ik keek op van zijn jongensgezicht en zag Illies boezem boven hem uittorenen. Ze keek me strak aan, machtig met haar vuurrood gepenseelde lippen.

William zag haar niet.

"Iesje.. mag ik nog even? Je bent zo fijn vandaag, vooral als je jaloers bent.' Hij liet zijn hand in mijn broek glijden. Ik giechelde en keek naar Illie. Ze lachte terug naar me met haar rode mond en haar zwartgeverfde ogen. Ze was mooi. Mooi, rond en nieuw. Ik bleef naar haar kijken en zij naar mij. Toen sloeg ik zijn hand weg, voor het laatst, en stond langzaam op.

'Wij is wij, William.' Illie liep voor me uit naar buiten.

En toen zijn we gaan rennen, zij en ik. Illie vergat haar sigaretten, maar dat gaf niet. Thuis hadden we er meer dan genoeg.

Een mooie dag in september

MONIKA SAUWER

De vriendschap wordt sterker, de seks minder met de jaren, schreef Cindy in haar opschrijfboekje. Ze zat op een parkbank in de namiddagzon. Een dunne zon die door een lichte nevel scheen. De wereld leek te mooi en te onschuldig. Eigenlijk kon ze daar niet goed tegen, besloot ze. Het maakte week. Een windvlaag dreef de verheven geur van pas gemaaid gras haar neusgaten binnen. Kippenvel trok over haar rug. Ze schreef verder: *Voor zogenaamde 'goede seks' moet je vast wel aan wisselende contacten doen. Maar ik wil in de eerste plaats vastigheid, vertrouwen. Je kunt niet alles hebben. Ik houd zielsveel van Onno. Hij is mijn beste vriend, mijn vader, mijn broertje. Maar wie is mijn dier?*

'Heb je een vuurtje voor me?' vroeg een onbekende mannenstem. Betrapt klapte Cindy haar opschrijfboekje dicht. 'Nee, sorry,' stamelde ze. 'Ik rook niet.'

'Dat is gezond,' zei de man kordaat. Hij bleef pal voor haar staan. Ze zag alleen zijn zwarte, goedgepoetste schoenen, zijn stevige benen in antracietgrijze denim. Hoger durfde ze niet te kijken. 'Mag ik even naast je komen zitten?' vroeg hij nu vriendelijk. Ze kon zijn accent niet thuisbrengen. 'Nee,' wilde ze zeggen, maar in een oogopslag zag ze dat alle omringende bankjes bezet waren. Ze kon geen alleenrecht doen gelden. 'Ja, hoor,' zei ze mat en veinsde aandacht voor de kaft van haar boekje.

'Studeer je?'

'Nee,' zei Cindy, 'ik schrijf wel eens een gedicht.' Wat ze zojuist had opgeschreven kon je moeilijk een gedicht noemen, maar goed. En nou oplazeren, dacht ze krachtig. Het hielp niet.

'Gedichten schrijven is heel goed,' zei de man bedachtzaam. Nu pas viel haar op dat hij een mooie stem had. Donker, zwaar, maar toch zacht. Ze voelde de stem in haar schoot. Nu gaat-ie zeggen dat het mooi weer is, dacht ze grimmig. En vragen of ik iets wil drinken. En dan moet ik zeggen dat ik getrouwd ben en een dochter van veertien heb.

Maar hij zei iets heel anders: 'Dichters zijn de gidsen van hun volk in moeilijke tijden.' Hier wilde Cindy meer van weten. 'Hoe bedoelt u dat?' vroeg ze nieuwsgierig.

Ze mocht bij hem achterop de fiets. Ze dacht aan haar eerste vriendje, schoolfeestjes, het hockeyveld, rum-cola. Haar rokje kroop omhoog, maar dat liet ze zoals het was. Het harde staal drong lekker pijnlijk tegen haar blote dijen. Hij fietste in stilte. Ze keek naar zijn gespierde billen op het zadel. Wat zou hij voor werk doen? dacht ze. Maakt dat iets uit? Nee. Bij een slecht liggende verkeersdrempel sloeg ze haar armen om zijn middel, drukte haar gezicht tegen het stugge leer van zijn jasje.

Hij woonde op tweehoog in een smalle negentiendeeeuwse straat met pas aangeplante sierboompjes. Toen ze hem volgde op de steile trap snoof ze als een hond, maar geuren van aangekoekt braadvet, riolering of houtrot waren niet hinderlijk overheersend. In zijn appartement rook het zelfs goed, naar hout en boeken.

Toen hij koffie voor haar ging zetten in het keukentje

keek ze onwennig rond. Geruststellend grijsblauw katoentapijt, weinig meubels. Twee ongelijke stoelen, de bewerkt leren poef waarop zij zat, een kaalhouten tafel. Boeken en tijdschriften op stapels over de vloer verspreid. Waren dat Arabische of Perzische letters? Toen zag ze door de glazen alkoofdeuren heen zijn bed staan. Blauwe sprei met witte lelies erop gedrukt of gebatikt, keurig rechtgetrokken, kuis. Toch raakte ze in paniek: wilde ze dit echt wel? Zou hij wel condooms in huis hebben? Ze begon te klappertanden van de zenuwen, sloeg haar benen stijf over elkaar en kneep haar ogen dicht. Ze merkte niet dat hij achter haar stond. 'Wat is er? Heb je koorts?' vroeg hij zorgzaam.

'Ik ben bang,' zei ze.

'Ik ook, en een beetje verlegen,' zei hij, terwijl hij haar haren streelde. 'Wil je liever naar huis?'

Hij keek haar aan met zijn omfloerste, zwaar gewimperde ogen. Nachtdierenogen, dacht ze en slikte met droge keel. 'Nee, ik wil nog niet naar huis. Ik wil met jou.'

'Ik ook.'

Hij vree met beheerste hartstocht, alsof het zijn dagelijks werk was. Misschien was het dat ook wel, dacht ze toen ze nog denken kon. Misschien bedriegt hij ook iemand, net als ik. Toen verloor ze alle controle. Haar lichaam schreeuwde het uit, al haar zenuwuiteinden lagen open en bloot voor zijn aanrakingen. Hij stootte dieper en sneller. Ze haakte zich vast in zijn soepele rugvel, gromde in haar keel. Toen spande ze zich als een boogpees. Hoger, wilder, hoger voerde de branding. Mijn God! Samen verslapten ze, liepen ze leeg als een kinderballon.

Ik houd van je, dacht ze toen ze bijkwam. Toen schaamde ze zich. Hoe heette hij ook alweer?

'Ik had je naam niet goed verstaan,' zei ze. 'Stom hè.'

'Reza,' zei hij. 'Ahmed Reza. En jij heet Cindy. Cindy, jij bent de beste.'

Ze bloosde van gestreelde eigenliefde. Haar hele naaktheid voelde nieuw, omdat er nieuwe ogen naar keken. Toen keek ze op haar horloge en schrok. 'Ik moet naar huis,' riep ze. 'Mijn dochter komt zodadelijk terug van het hockeyveld. Ik had beloofd...'

'Zal ik een taxi bellen?'

'Nee, dat hoeft niet. Het is niet ver lopen.'

'Ik breng je met de fiets.'

'Nee, dank je, ik loop liever,' zei ze, naar haar broekje zoekend. Voor douchen was geen tijd meer. Zou Nina haar kunnen ruiken? Haar en hem. En Onno straks?

Bij de voordeur vroeg hij simpel: 'Zie ik je nog eens terug? Om deze tijd op zondag ben ik altijd thuis.' Hij gaf haar zijn telefoonnummer. 'Ik weet niet of ik terugkom, Ahmed. Ik blijf aan je denken. Maar ik weet het even niet meer.'

Ze schudde droevig haar hoofd.

'Ach ja,' zei Ahmed. 'Wij mensen weten niet alles. Sommige dingen weet alleen Allah.'

Wat kijk je zorgelijk, schatje

HERMINE LANDVREUGD

Door de licht spiegelende ruit zie ik het geblondeerde haar van Camiel. Hij vindt het te koud buiten en zit in de kajuit. We hadden besloten een dagje de natuur in te trekken, op Texel. Misschien ook bij mijn moeder langs te gaan die mij al een jaar niet meer wilde zien.

Ik heb het ook fris, ik draag een bruin suède minirok en hoge plateauzolen. Ik had thuis nog getwijfeld of ik niet mijn Nikes aan zou trekken maar Camiel zei dat ik daar dan mijn G-star spijkerbroek bij aan moest en dat mijn kont daar niet goed in uitkwam.

Jonathans hoofd komt net tot de rand van de reling, hij gooit paprikachips naar de meeuwen. 'Ja, ja!' schreeuwt hij elke keer als zo'n langsscherende vogel er een in zijn snavel pakt.

'Jaaaah!' schreeuwt Jonathan en gooit met volle kracht een Mars tegen de kop van een meeuw. Het dier slaakt een verschrikte kreet en verdwijnt met de wind mee naar achteren.

Een lange man in een groene parka werpt een afkeurende blik op mijn zoontje, fluistert iets tegen de vrouw die naast hem staat en beiden gluren ze naar mij.

'Nu wil ik Chocomel,' zegt Jonathan, zijn mondhoeken nog bruin van het vorige flesje. Hij heeft het gezicht van Camiel; uitstekende jukbeenderen en licht ingevallen wangen, een doodshoofd. Ik heb schijt aan alles, mij kun je niets maken, spreekt het, mooi vind ik dat.

Ik vis een opgeproffeld briefje van tweehonderdvijftig uit het borstzakje van mijn spijkerjack. 'Ga maar halen.'

Ik heb veel geld bij me, gisteren had ik een klant in het Amstel, twee uurtjes voor een rug. Camiel kwam me zoals altijd ophalen in de lichtblauwe Chevrolet. Streek me over mijn haar terwijl hij de volumeknop van de cd-speler hoger draaide en zei 'goed gedaan, vrouwtje'. Daarna pakte hij vijf bananenschuimpjes uit het zakje dat op het dashboard lag en stak die tegelijk in zijn mond. Probeerde toen mee te fluiten met 'Quiet Eyes' van de Golden Earring, zijn lievelingsband. Veel eten vond ik mannelijk toen ik hem leerde kennen. Maar nu stoort het me dat Camiel zoveel naar binnen stouwt. Koekjes en chips verberg ik soms. Er ligt een zak chocopinda's achter in Jonathans kledingkast. Het geeft me een goed gevoel als ik aan die pinda's denk daar onder die pyjama. Een geheim voor Camiel hebben, al is het nog zo onbeduidend, geeft me ruimte om te ademen. Lucht. Camiel zit op mijn nek.

Ik slenter achter Jonathan aan naar de kajuit. Struikel over een drempel en verlies het zooltje van mijn hak. Verdomme.

Camiel zit aan een tafeltje achterin en heeft een gevulde koek in zijn hand. Er staan twee lege bierflesjes voor hem op tafel. 'Niet te vreten,' zegt hij en neemt een grote hap. Kruimels vallen in de col van zijn zwarte trui.

Jonathan staat al bijna voor in de rij bij de kassa, die is voorgedrongen. Zijn juffrouw op school begon erover dat Jonathan misschien gedragsproblemen had. Hij luisterde erg slecht. Op een dag wilde een klasgenootje in het speelkwartier zijn skelter niet aan Jonathan afstaan. Aan het eind van de middag, toen de school bijna uitging, gooide Jonathan een stoel op het jongetje, met als gevolg een gescheurde wenkbrauw die moest worden gehecht. Berekenend, om zo laat te reageren, ik weet niet van wie hij dat heeft. Camiel handelt nog voordat hij heeft nagedacht, en ik, mijn voorgenomen acties verzanden meestal in twijfel. Ik luisterde gisteren naar een discussieprogramma op de radio, een panel bespak het laatste boek van een Franse filosoof. Die beweerde dat de zin van het leven niet meer door iets of iemand opgelegd kan worden, en dat de mens opofferingsgezind kan zijn. Egoïsme opzij kan zetten. Liefde voor anderen. Daar lusten de honden toch geen brood van. Ik heb het niet op boekenkennis.

'U kunt misschien eens een oriënterend gesprek bij een therapeut...' Nog voordat de lerares was uitgesproken trok Camiel mij mee het kantoortje uit. Op de gang brieste hij: 'Die heks moet haar bek dichthouden.' Ik zag dat waas in zijn ogen. Daar had hij vaak last van. Toen we het schoolplein af waren was hij nog zo woedend dat hij de ruit van een geparkeerde auto in sloeg. Zijn vuist bloedde niet maar de volgende dag kon hij zijn vingers moeilijk strekken.

Jonathan duwt twee mensen opzij en rent als eerste de boot af. Het waait hier hard, de panden van zijn felrode Carhartt-jack wapperen.

Ik snuif de zeelucht op, het zout prikkelt het slijmvlies in mijn neus. Bij inwaartse wind ruik je die geur in het dorp bij mijn moeder. Hoe zou ze reageren als we voor de deur staan. De laatste keer draaide ze de deur op slot. Ik zag haar silhouet achter de geelglazen voordeur. Mijn oog viel op het staaldraad dat in het glas is geweven. Het maakte haar nog onbereikbaarder. Jonathan schreeuwde nog een paar keer 'oma' door de brievenbus en schoof toen de tekening die hij voor haar had gemaakt naar binnen: mij in een regenbui. 'Je hebt hakschoenen aan,' zei Jonathan, 'maar die pasten er niet meer op.'

Dat ze niet opendeed raakte hem geloof ik niet; hij zei er tenminste niets over. Op de terugreis hing hij wel een paar keer tussen onze stoelen in naar voren om te vragen of oma die tekening wel op zou hangen, dat hij hem anders beter aan mij had kunnen geven. En hij klopte op mijn schouder, 'weet je waarom je van die grote oren hebt? Die kan je over je hoofd vouwen, als een paraplu. Dat hebben de mensen in China.' Het kostte me moeite hem vriendelijk antwoord te geven. Soms denk ik dat je je beter zo vroeg mogelijk van een kind kunt losmaken.

Naast het parkeerterrein staan drie bussen, ik loop erheen. 'Ja, dag,' klinkt Camiels stem achter me, 'ik ga een beetje in een bus zitten. We nemen wel een taxi. Eerst naar het strand en dan kijken we wel bij je moeder.' Tegenspreken heeft weinig zin bij Camiel.

De chauffeur van de voorste bus, die mij van richting ziet veranderen zegt 'jammer nou meissie!' Ik schiet in de lach en steek mijn hand naar hem op. 'Ik wou dat mijn vrouw zo'n rok droeg!' roept hij nog voordat hij het raampje dichtdraait.

'Lekker een dagje Tessel?' vraagt de taxichauffeur. Zijn gestreepte overhemd spant over zijn buikje. 'Je ne parle pas hollandais,' zegt Camiel die naast hem zit, en kijkt strak voor zich uit door zijn Chopard-brilletje met blauwe langwerpige glazen. Verbaasd draait de chauffeur zich om naar mij. Daarnet bij de standplaats bediscussieerden we toch duidelijk in het Nederlands of we naar Paal Negen of naar de Slufter zouden gaan. Ik mijd zijn blik en rommel in mijn jaszakken. Jonathan trekt het asbakje in het portier open en kijkt wat erin zit. 'Afblijven,' zeg ik maar ik klink zelden erg overtuigend wanneer ik hem iets verbied.

We rijden langs weilanden met hier en daar schapen, en boerderijen waar geen leven te bespeuren is. Bij die ene, met klimop langs de gevel, haalt mijn moeder eieren weet ik. Die kookte ze de voorlaatste keer nog voor ons, kleine eitjes zo vers dat ze moeilijk te pellen waren.

Camiel en ik waren pas tegen twaalven ons bed uit komen rollen. Ze had al een paar keer onder aan de trap geroepen, maar we hadden ons doof gehouden.

'Ik zit al vanaf zeven uur met hem,' poogde mijn moeder verwijtend te klinken en knikte naar Jonathan, 'we zijn al op het strand geweest.'

Camiel gaapte. Hij zat gekleed in vaalzwarte boxershorts op de bank. Mijn moeder keek naar zijn tepelpiercing en naar het raam, hoewel de gordijnen dicht waren zoals altijd. 'Het is hier fris, hè, moet je niet een shirtje aan? Ja, zal ik even wat voor je pakken, geen moeite hoor, laat mij maar even...' Ze struikelde bijna over haar woorden en stond al op. Camiel legde zijn hoofd achterover tegen de rugleuning en sloot zijn ogen. Ik zag de korstjes in zijn mondhoeken, hij eet te weinig vitaminen. Ik ontbijt bijna elke dag met een kiwi en yoghurt met muesli. Elke dag eet ik groente, het liefst broccoli of spinazie. Camiel lust geen bruinbrood en als hij groente eet zit die meestal in een loempia van Nam Kee.

Hij is tenger gebouwd maar oogt sterk, gespierd. Zijn navel is een bolletje. Hij vindt het lekker als ik die lik en een vinger in zijn kont steek. Dat had ik die avond gedaan, in het eenpersoonsbedje op de logeerkamer. Daarna trok ik hem af, hij spoot een klodder tegen het lampje naast het bed. Camiel was er trots op dat hij nog zo ver kwam.

Mijn moeder zette de radio aan en weer uit. Krabde met een nagel over de tafel. Ze droeg het geelzwarte Dior-shawltje dat ik had gekocht toen ik met een klant een paar dagen naar Duitsland was. Dat wist ze natuurlijk niet. Ik had zin in een sigaret maar je mag bij mijn moeder thuis niet roken.

'Hoe was het op het strand?' vroeg ik veel te luid. 'Heel leuk,' zei mijn moeder snel, 'toch, Jonathan? Leuk, hè?'

Jonathan zat met zijn jas nog aan op een fauteuil, zijn voeten raakten de vloer niet. 'Ik mocht van haar geen kwal mee naar huis nemen,' zei hij, 'en ik kreeg geen frikadel.' 'Daar was het nog veel te vroeg voor,' zei mijn moeder, 'eerst een middagboterham.' 'Dat hoeft niet, hè mama,' vroeg Jonathan, 'ik hoef toch niet elke dag een middagboterham? Hè, mam?' Het was mijn idee om geen abortus te laten plegen.

Mijn moeder staarde naar haar schoot. Haar al grijzende haar viel slap over haar voorhoofd.

'Weet je wat,' zei ze opeens, 'ik ga een eitje voor jullie koken.' Ze leek blij een reden te hebben de kamer te verlaten. De keukendeur deed ze achter zich dicht. Camiel opende gelijk zijn ogen en siste 'we moven zo hoor, het is wel weer leuk geweest'. Na een tijdje kwam ze terug met voor ieder een ei op een schoteltje, met wat peper en zout ernaast. De eieren pelden moeilijk. 'Verdomme,' zei Camiel toen hij met een stuk schil zijn halve ei meetrok. Hij zette het schoteltje op de vensterbank en raakte het niet meer aan. Ging naar boven om zich aan te kleden.

Ongeveer een halfuur later zaten we weer op de boot naar Den Helder. Ik wilde een sigaret opsteken maar kreeg de aansteker niet aan. Mijn handen trilden nog door de ruzie die we op de valreep hadden gehad. Camiel stond bij de kassa en rekende een flesje bier af. Bij mijn moeder mocht niet worden gedronken. Mijn vader was overleden aan levercirrose ten gevolge van alcoholisme. Ik heb hem nooit gekend, hij stierf toen ik nog twee moest worden en mijn ouders al gescheiden waren. Mijn moeder was niet naar de begrafenis gegaan. Na zijn dood is ze van Paramaribo eerst naar Rotterdam, en een jaar of vijf geleden naar Texel verhuisd. De gordijnen van de huiskamer houdt ze dicht sinds ze op het eiland woont. Ze ging ook plotseling heel gezond eten, alleen onbespoten groente, geen vlees en suiker meer. Nu rijden we door de duinen, op weg naar het strand waar ik veel heen ging toen ik nog regelmatig bij mijn moeder kwam.

Camiel, die de hele rit niets meer heeft gezegd, draait zich opeens naar me om. 'Wat was dat, dat geflirt met die buschauffeur? Dat moet ik niet.' Zijn lippen zijn strakgetrokken, dat betekent dat hij boos is. 'Hoor je me? Dat moet ik niet.'

Dat ik zijn ogen door de blauwe glazen niet kan zien, maakt hem eng. 'Sorry,' zeg ik. De chauffeur werpt een blik op me in het spiegeltje.

Het is altijd uitkijken met Camiel. Een paar weken geleden had ik de buurjongen boven gelaten. 'Wie was er?' vroeg Camiel toen hij terug was en wees op de twee halflege glazen met cola. 'Bastiaan,' antwoordde ik en voegde er haastig aan toe dat hij een cd terug wilde hebben die ik van hem had geleend. Camiel liet me niet uitpraten en sloeg me een bloedneus.

'Kijk, een konijn,' wijs ik Jonathan.

We stappen uit. Camiel betaalt de taxichauffeur en geeft hem zover ik kan zien een fooi van vijftien gulden. Dit slaat nergens op. Camiel wilde zijn auto, de lichtblauwe Chevrolet, per se in Den Helder laten staan omdat hij de overtocht te duur vond.

Camiel zet meteen koers naar het paviljoen, rechts van het parkeerterreintje, 'ze hebben daar toch zo'n lekker menu met gecombineerde vissoorten en volgens mij schenken ze ook sterke drank.' Zand waait in mijn mond en ik duw plukken haar uit mijn gezicht. 'We waren hier om uit te waaien,' zeg ik, 'laten we dan eerst het strand op gaan.' Camiel antwoordt niet, maar loopt met tegenzin met mij mee. Daar ligt de zee, grijs en kalm, aan het randje van de wereld. Ik adem diep uit en word bijna vrolijk. Hoopgevend is de zee, aan alles komt ooit een eind, spreekt ze, vertrouw mij maar. In een opwelling druk ik een kus op Camiels ongeschoren wang. Hij kijkt me zijdelings aan, bevreemd.

Camiels ouders zijn gescheiden toen hij nog heel jong was. Zijn vader is een kunstschilder die goed verkoopt in het commerciële circuit. Ze zien elkaar praktisch nooit. Toen ik zwanger was van Jonathan zijn we naar een opening van een expositie in Gallery Donkersloot in de P.C. Hooftstraat geweest. Er hingen voornamelijk fotoafdrukken op linnen van de Stones en Jagger of Richards solo.

Van het midden van de gallery keken we naar de werken, Camiel dronk drie wijntjes en ik een paar glazen jus d'orange door een rietje. Het leek me wel mooi allemaal maar voor een sluitend oordeel zou je dichterbij moeten staan. Camiel zei 'best gaaf' en toen slenterden we naar zijn vader, die luidruchtig stond te praten in een groepje mensen.

'Allemaal retenlikkers,' mompelde Camiel tegen mij. Camiels vader lijkt sprekend op Camiel; hetzelfde doodshoofd, alleen is zijn vader steviger gebouwd en korter van stuk. Camiel drong zich het groepje binnen en zei 'Ha, pa.'

Zijn vader, die druk praatte en gesticuleerde tegen een lange geblondeerde vrouw in een groene doorschijnende jurk, stopte midden in een zin en draaide zijn hoofd opzij. Hij was een stukje van zijn kin vergeten te scheren wat ik schattig vond. Hij keek een paar seconden naar Camiel en zei 'Ha, zoon.' Tikte de as van zijn sigaret, nam een trek en zei tegen mij 'Hallo.' Ik vroeg me af of hij mijn naam nog wist. De vader schraapte zijn keel. De dame in de groene jurk nam een slok wijn en draaide zich om. Ze droeg geen onderbroek en de jurk zat zo strak dat ik kon zien dat ze putjes in haar billen had.

'Zo,' zei de vader opeens luid en maaide met zijn arm om zich heen, 'wat vinden jullie ervan?'

'Ja,' zei Camiel bedachtzaam en keek nog eens langzaam rond, 'de Stones, hè?'

'Precies!' zei zijn vader en sloeg hem op de schouder, hij lachte maar zijn ogen schoten nerveus heen en weer. Camiel vroeg zijn vader een sigaret. Ik spiedde rond naar de dame in de groene jurk, maar zag haar niet. Ik doe elke ochtend bilspieroefeningen en hoop dat ik nooit putjes krijg.

'Pa,' zei Camiel opeens zacht, 'we zitten een beetje krap, heb jij misschien...'

'Natuurlijk, jongen,' zei zijn vader. Hij leek opgelucht, trok zijn portefeuille tevoorschijn en gaf Camiel wat briefjes, ik kon niet zien hoeveel. Vlak daarna gingen we weg. Camiels vader zei nog 'Als jullie er wat tussen zien, zoek maar eens wat uit.'

'Ja best,' zei Camiel en trok zonder hem nog aan te kijken de buitendeur open. Hij had niet verteld dat ik zwanger was.

In de auto telde Camiel het geld. Hij keek blij.

Camiel trekt al zo'n jaar of twaalf bijstand. Aan zijn sollicitatieplicht voldeed hij niet en hij moest langskomen bij de sociale dienst. Ik ging mee, want dat soort dingen doet hij liever niet alleen.

'Maar wat wil je dan?' vroeg de vrouw met het kortgeknipte haar achter de balie en tuurde boven de rand van haar leesbrilletje uit.

'Iets met dieren,' zei Camiel en vouwde zijn handen zedig in zijn schoot. 'Ik ben al naar het asiel gefietst, in de regen, helemaal in Oost. Maar daar zeiden ze, je hebt een strafblad en er zit hier toch vaak tweeduizend gulden in de kas.' Hij keek de vrouw vluchtig aan en tuurde toen, alsof hij zich schaamde, naar zijn knieën. Hij loog dat hij barstte, hij had niet eens een fiets. Maar een strafblad heeft hij wel. Daar hadden ze het al over gehad, dat dat toch een groot obstakel was. Zeven maanden had hij gekregen voor de smokkel van handgranaten uit Rusland.

'Tja,' zei de vrouw en bestudeerde zijn dossier. Ik liet een propje kauwgom vallen op het bruine kunststoftapijt.

'Ik wil ook wel dolfijnen dresseren,' zei Camiel, 'desnoods ga ik elke dag naar Harderwijk. Maar is dat haalbaar. Of leeuwen temmen.'

Ik beet op mijn onderlip om niet in lachen uit te barsten, tranen stonden in mijn ogen. Twee weken later kreeg hij een brief dat hij onbemiddelbaar was verklaard.

Ik wist zeker dat hij nooit een werk van zijn vader zou aannemen. Hoewel hij deze afbeeldingen van de Stones meer dan mooi had gevonden; als Camiel 'best gaaf' zei, bedoelde hij fantastisch. Zelfs als hij het niets vond zou hij er een aan kunnen pakken en verkopen. Maar hij zou nooit willen dat zijn vader de illusie koestert dat Camiel zijn werk waardeert.

Jonathan haalt zijn groene spokenkap uit zijn rugzakje en zet die op. 'Als je helemaal door de zee loopt naar Amerika dan verdrink je,' stelt hij vast. Zijn stem klinkt dof vanachter het masker en duidelijk hoopvol. 'En dan word je helemaal paars en plof je op tot je zo dik wordt,' hij spreidt zijn armen erbij uit.

Meeuwen scheren over een duintop. Ik heb een keer aan Camiel voorgesteld om hier te gaan wonen, dicht bij ma. Het idee geeft een veilig gevoel, raar, want ik heb nooit goed met haar overweg gekund. 'Een seksboerderijtje op het platteland,' knikte Camiel, 'dat is misschien zo gek nog niet.' Ik vertelde hem niet wat ik in mijn hoofd had. Een rijtjeshuis met klimop tegen de gevel. Tussen de in de zon glimmende blaadjes hangen spinnen, loom en tevreden schommelend in hun web. Een praatje maken met de caissière in de buurtsuper, waar ik wel twee keer per dag om een boodschap ga. Slabonen en wortelen koop ik daar niet, die krijg ik van ma uit haar tuintje. Zij doet de overgordijnen weer open. We zitten ieder in een luie stoel, happen in een stuk zelfgebakken cake, en becommentariëren iedereen die langsloopt. Heeft vrouw Bonewiet een nieuwe zondagse jas? En kijk, Martha, dan moet het tien uur wezen, die gaat bij Pietje op de koffie, maar over een kwartier gooit die d'r weer buiten, let maar op.

We wandelen het strand op. Er lopen een man en een vrouw, met in hun midden, aan de hand, een kindje met een grote rode muts. Ik kan al jaloers worden als ik een gelukkig gezin zie in een wasmiddelenreclame.

Camiel werpt een verlangende blik achterom op het paviljoen, met de rafelige Nutricia-vlag ervoor. Toen ik hier nog vaak kwam ging ik graag naar het strand als het onweerde. Donder die het hele eiland leek te doen schudden, en dan het liefst nog keiharde regen die de grond raakte waar ze maar kon, geen ontsnappen mogelijk; stuk, alles moest stuk en ik erbij, die gedachte maakte me vrolijker dan wat dan ook, meestal begon ik te rennen en hoopte dat de bliksem mij trof.

Camiel zegt dat het stuift, dat hij zand in zijn mond krijgt en dirigeert me in de richting van de duinen. Ik zou willen dat hij niet zo voorspelbaar was.

Voordat ik hem leerde kennen handelde hij in wapens. Hij woonde op het terrein van een paar Hell's Angels, vlak bij Halfweg, in een woonwagen. Hij had daar ook paarden lopen, wel tien, hij is dol op dieren. Maar de wapenbusiness werd hem te link, zei hij. Een of andere gast kwam een keer niet over de brug met zestigduizend gulden, hij en twee makkers hadden hem naar het Westelijk Havengebied gereden. Achter een grote loods hielden zijn maatjes de man in bedwang en Camiel had met een schroevendraaier zijn ogen eruit gedraaid. 'Ik had wel eerst zijn bek volgepropt met een theedoek. Het bloed droop over de wangen, over zijn hals, in zijn overhemd. Ik wou hem eerst zijn ogen nog laten opvreten. De kankerlijer.'

'*Don't mess with me,*' zong Camiel, hij stond op het bed en maakte boksbewegingen. Ik lustte geen hap meer van de boterham met sandwichspread die ik net had gesmeerd en legde hem op de grond voor de hond. Camiel stopte met boksen en keek me onderzoekend aan. Toen zei hij dat het niet waar was, dat een van de Hell's Angels bij wie hij woonde dat had geflikt, en dat hij er zelfs niet bij was geweest.

Op sporadische momenten weet ik heel zeker dat ik met Camiel wil zijn. Als hij naakt op zijn buik ligt te slapen en ik hem bestudeer in de spiegel aan het plafond. Zijn machtige billen, met kuiltjes aan de zijkant, zijn rug met die rustende spierkabels die elk moment kunnen exploderen. Zijn vuisten, gebald, met wondjes op de knokkels. Niemand zal me ooit kwaad doen met Camiel in de buurt. Soms open ik zijn vuist voorzichtig en leg zijn duim tussen zijn lippen.

Toen ik hem pas kende zaten we eens in Belvero, een bar-bistro aan de Sloterkade vlak bij Camiels huis. Een kennis van Camiel uit de buurt was er ook, Abe. Die had aan de bar een sateetje gegeten en saus gemorst op de boord van zijn witte sweatshirt. Hij nam een slok bier en veegde het schuim uit zijn mond. Ging wijdbeens voor me staan. Riep tegen Camiel, die bij de fruitautomaat stond, 'je hebt wel weer een lekkertje uitgezocht.' Hij gaf me een paar tikjes op mijn wang. 'Uitkijken jij,' zei Camiel en stak dreigend een vinger op. Abe deed een pas in mijn richting. Zijn sweatshirt zag er goedkoop uit, de stof lubberde. 'Maar,' zei Abe, 'ze ziet een beetje bleek. Ze mag wel wat meer kleurtjes op d'r smoeltje smeren.' Hij pakte mijn hoofd beet en schudde het heen en weer. Ik zag Camiel niet bij de gokkast vandaan komen maar opeens stond hij naast me, haalde uit en stompte Abe midden in zijn gezicht. Hij sloeg met zijn hoofd tegen de rand van de toog en klapte toen op de grond. Bleef liggen. Later bleek dat zijn jukbeen deels was versplinterd. 'Die kent me al jaren,' zei Camiel, 'die snapt wel dat hij beter geen aangifte kan doen.' De volgende keer dat we Abe op de kade tegenkwamen bood die zijn verontschuldigingen aan.

Camiel gespt zijn riem los en trekt in een keer zijn Levi's en Hugo Boss-boxer naar beneden. Pakt mij in mijn nek en duwt mijn hoofd omlaag.

Camiels ballen likken of die van een klant, maakt geen verschil. Met mijn tong draai ik rond en over zijn eikel, die vaag naar urine smaakt. Hij kreunt. Draait me dan ruw om en gooit me voorover op de grond. Rukt mijn rokje omhoog en mijn panty en slipje omlaag. Dringt zich naar binnen. Het zand kriebelt fijn aan mijn knieën. Camiel houdt mijn haar stevig vast en bonkt hard tegen mijn baarmoeder aan. Ik richt me zo ver mogelijk op om te kijken waar Jonathan is. Ik zie hem staan, bij de zee, nog steeds zijn spokenmasker op. Hij zwaait zijn arm naar achteren en naar voren en gooit iets in de golven. Camiel wrijft over mijn klit, er zit zand aan zijn hand, het schuurt. Hij bezorgt me zelden een orgasme. Ik zucht alsof ik het heerlijk vind, dat ben ik zo gewend.

Jonathan schreeuwt iets onverstaanbaars naar de zee. Camiel at warme worst toen zijn zoon werd geboren. Ik werd misselijk en jankte dat hij het weg moest gooien.

Camiel doet er lang over, hij neukt me nu alleen met zijn eikel.

Mijn moeder is, met geld van een vriendin, naar Nederland gevlucht toen ik in haar buik zat. Mijn vader dacht dat ik van iemand anders was en dreigde haar te vermoorden. Toen hij al in het ziekenhuis lag smeekte hij haar per brief om mij nog te mogen zien, maar mijn moeder was onvermurwbaar. Ooit wil ik zijn graf bezoeken, met Jonathan maar zonder Camiel.

Camiel verveelt me stierlijk. Ik wil iets in het zand schrijven, 'ik hou niet van je, kabouterlul.' Maar zodra ik de streep van de 'i' probeer te trekken, loopt die weer vol met zand, het is te rul.

Camiel knijpt het restje sperma uit zijn piemel en veegt dat aan zijn sok.

Op de boot valt Camiel in slaap, zijn hoofd tussen zijn armen op het tafeltje. Ik kijk recht tegen zijn kruin aan; zijn haar groeit uit. Dat geblondeerde staat hem eigenlijk helemaal niet. Jonathan zeurt niet om snoep of chips en wil de hele reis op mijn schoot zitten. Ik wrijf mijn wang tegen de zijne, heerlijk zacht.

'Lieve mama,' zegt hij en omklemt mijn gezicht met twee handjes. Hij heeft rouwrandjes onder zijn nagels. Ik kijk in zijn lichtbruine ogen omringd door lange wimpers en onderdruk de plotseling opkomende tranen. Af en toe zou ik alles en iedereen in de steek willen laten, ook Jonathan.

In het paviljoen had Camiel gestoofde paling besteld. Hij nam er drie happen van, zei dat het vroeger veel lekkerder was, malser, en schoof zijn bord weg. Nam een grote hand friet uit de schaal, het zout en het vet glommen op zijn vingers. Jonathan bouwde in de kinderhoek van Duplo een galg en gebruikte een veter uit zijn Nike als touw. Ik dronk achter elkaar drie jus en een koffie verkeerd. Ik drink nooit alcohol en ik gebruik geen drugs. 'Je bent er bang voor,' zegt Camiel. Dat zal wel. Ik denk daar niet over na.

Met de taxi naderden we het Dorpsplein. 'Stop even,' zei ik tegen het kalende achterhoofd van de chauffeur. Hij remde abrupt en parkeerde naast de telefooncel. Liet de motor draaien. Ik helde opzij, zodat ik Dieck in kon kijken, links zag ik een stukje van de witte bakstenen gevel van mijn moeders huis. Camiel draaide zich naar me toe. Ik meed zijn blik.

'Is ze thuis?'

Stomme vraag, hoe moet ik dat nou weten. De motor deed de zitting onder mijn billen trillen.

'Ik mag hier niet staan,' zei de chauffeur.

Jonathan trok met zijn vinger strepen door het vuil op het raam.

'Nou schat, wat doen we, doorrijden maar?' vroeg Camiel. Ik antwoordde niet. 'Doorrijden,' besliste Camiel. De chauffeur schakelde. We reden over Dieck. Ik hoopte dat ze de deur uitkwam. In twee seconden flitsten de gesloten gordijnen voorbij.

We zijn Jonathans veter vergeten mee te nemen. Ik denk dat ik het als we thuis zijn uitmaak met Camiel, niet nu want dan moet ik misschien met de trein terug naar Amsterdam en daar heb ik geen zin in. Even schiet het door mijn hoofd Camiel slapend op de boot achter te laten, met Joon in de auto te stappen en door te rijden tot weet ik veel waar.

Camiel gaapt en start de auto. Ik zie de kies waar laatst een stuk is afgebroken. Hij gaat al jaren niet meer naar de tandarts. Een paar dagen geleden probeerde hij de aanslag van koffie en tabak op zijn tanden eraf te peuteren met een haaknaald. Ik zei dat hij daarmee op moest houden, dat hij zijn glazuur vernielde. Maar ik wilde dat hij van die haaknaald afbleef. Daarmee had ik, voor Jonathans geboorte, een roze babybaretje gehaakt, met een grote bol erop, toen geloofde ik nog dat het wat kon worden met ons drieën.

Jonathan valt op mijn schoot in slaap, zijn hoofd leunt zwaar op mijn arm. De Nike zonder veter bengelt aan zijn voet en valt op de grond. Er liggen nog hondenharen in de auto.

Toen ik de derde keer met Camiel in bed lag zei hij: 'Jij hebt natuurlijk al alles gedaan in bed.' Hij gluurde tussen zijn oogharen door naar Aron, die op de luie stoel lag en zacht gromde in zijn slaap.

'Pijp die hond,' zei Camiel en keek me strak aan. Ik voelde zijn pik onder mijn hand harder worden. Camiel riep de hond op bed. Ik schoof het roze geslacht uit de bruinbehaarde schacht en nam het in mijn mond. Aron bleef er stoïcijns onder, ik geloof dat hij zelfs verder sliep. 'Goed zo, hoertje van me,' mompelde Camiel en stopte zijn vingers in mijn anus, 'doe je best maar.' Geil werd ik er niet van maar ik wilde iets voor hem doen. Ik wilde zoveel voor hem doen dat ik niet meer bestond.

Camiel rijdt een parkeerplaats op en stapt uit. 'Pissen,' zegt hij. Ik kijk hoe hij daar staat, voor de bosjes, in zijn versleten witte 501, die ik hem nog steeds sexy vind staan. Weer krijg ik de aanvechting achter het stuur te kruipen en weg te rijden. Camiel er rennend achteraan. Ik hoor hem al roepen, 'hier teringwijf, ik maak je af!'

Er schiet me iets te binnen, ik las het in *Van het westelijk front geen nieuws,* een verslag van een Duitse frontsoldaat uit de Eerste Wereldoorlog. 'Laat de maanden en jaren maar komen. Ik ben zo alleen en zonder enige verwachting dat ik ze zonder vrees tegemoet kan zien.' Ik ken die zinnen uit mijn hoofd. Ik wilde Camiel het boek ook laten lezen. Hij bladerde het door en zei dat de letters veel te klein waren. Hij was de laatste tijd verzot op de strips van een Japanse tekenaar die de rol van de Japanners in de Japans-Chinese, en in de Tweede Wereldoorlog verheerlijkte. Kamikazepiloten stelde hij voor als helden met perfect geproportioneerde lichamen. Een tekening van zo'n piloot in een brandend, neerstortend vliegtuig, had Camiel gekopieerd, uitvergroot en op de schouw in de slaapkamer gehangen.

Camiel komt terug, maakt de laatste knoop van zijn gulp vast.

'Wat kijk je zorgelijk, schatje,' zegt hij terwijl hij in zijn stoel ploft. Hij buigt zich naar me toe, even denk ik dat hij me op de wang gaat zoenen maar hij draait het raampje open, 'benauwd hier.'

Het zwevende doosje

OSCAR VAN DEN BOOGAARD

Ik houd van alle vrouwen op de wereld. Ik heb er nooit voor één kunnen kiezen. Daarom ben ik vrijgezel gebleven. Mijn vriend Tom en ik hebben besloten om ze allemaal te zien als één vrouw. Om deze wereldvrouw te behagen moeten wij al haar verschijningsvormen behagen.

Vrouwen die ons voor zichzelf willen hebben, maken bij ons geen kans. We beperken ons met iedere vrouw tot één keer. Tom kan van al mijn vrouwen getuigen en ik van de zijne. We praten over onze avonturen na als over een voetbalmatch of een goede fles wijn.

Maar Cynthia wilde ik voor mezelf houden. Ik heb er spijt van, want wat is het verschil tussen droom en werkelijkheid als je die werkelijkheid met niemand kunt delen? Cynthia zal met mij deze herinnering niet willen ophalen. Als ze mij terugziet, zal ze haar perfecte neus optrekken. Ik zeg het vele malen per dag tegen mezelf alsof ik mezelf moet overtuigen dat het echt is gebeurd: ik heb Cynthia genomen in de achterbak van mijn Voyager, op het bubbeltjesplastic waarmee wij onze kunstwerken inpakken. Met enige haast maar vol overgave. Ik spoot haar onder zoals ik vroeger foto's van haar uit tijdschriften onderspoot omdat ik ze in mijn geile drift niet op tijd had kunnen wegleggen.

Tom en ik hebben elkaar tien jaar geleden leren kennen in een studentendiscotheek. We stonden naar hetzelfde meisje te kijken. Het is eigenlijk aan haar te danken dat we elkaar hebben ontmoet, want zij wilde niet tussen ons kiezen. Ze nam ons allebei mee naar huis. Wij verbaasden ons over haar vastberadenheid. In haar studentenkamer, op een éénpersoonsmatras, leerde ze ons dat een vrouw gemaakt is om door twee mannen tegelijk bemind te worden. Ze heeft twee handen om ons te bevredigen en ten minste twee openingen om ons toe te laten. Ik had door Toms aanwezigheid het gevoel dat de mogelijkheden van mijn lichaam zich verdubbelden. Na een onstuimige nacht, waarin we van al onze remmingen werden bevrijd, hadden Tom en ik de smaak te pakken. We vonden meisjes en vrouwen in de universiteitsbibliotheek waar we dagelijks studeerden. Geestelijke arbeid moet met fysieke worden gecompenseerd. Studentes vlak voor een examen zijn de geilste wezens op aarde, een orgasme is het enige waarmee ze nog aan hun kloppende brein kunnen ontsnappen. Tom en ik verliezen weinig tijd aan romantiek. We zijn niet op zoek naar liefde, we zijn op zoek naar seks.

Iedere beroepsgroep heeft wat betreft vrouwen zijn eigen mogelijkheden. Er zijn genoeg verhalen bekend over de huisarts, de gynaecoloog, de glazenwasser, de postbode. Ik voeg daar de galerist aan toe. Na ons afstuderen openden Tom en ik een kunstgalerie. Hoewel het ons werkelijk in de eerste plaats erom te doen was goede tentoonstellingen te maken met interessante kunstenaars bleek de galerie te werken als een fuik voor de meest fantastische vrouwen. Jonge kunstenaressen, studentes kunstgeschiedenis en niet te vergeten de verzamelaarsters stroomden onze wereld binnen. Vrouwen in de beeldende kunst hebben een groot verlangen naar nieuwe ervaringen. Onze avonturen waren vaak het begin van een bloeiende zakenrelatie die onze galerie bepaald geen windeieren legde. De vrouwen kochten zich arm in de hoop ons opnieuw te kunnen verleiden, maar nee, dat paste niet in onze plannen.

Ik ken mannen die een vrouw voor zichzelf willen hebben; ik ben niet zo, ik wil beschikbaar zijn, alert, zoals een dier in het oerwoud. Denk eens na, er zijn zoveel vrouwen, er worden ieder moment nieuwe verwekt, ontmaagd en opgeleid om op een dag door ons te worden genomen, we moeten onze tijd goed gebruiken, zorgen dat we in goede conditie blijven, onze ogen openhouden. Ik ben teleurgesteld als ik mijn vrienden braaf achter hun vrouwen zie aanhobbelen. Dat is het: de meeste macho's veranderen in de buurt van vrouwen in watjes. Ze willen met hun vrouw naar de IKEA of wandelen in het park. Nog liever dood. Ik hou van de straat en de open natuur. De hele wereld is een jachtterrein. Dat zei mijn osteopaat laatst ook. Ik was bij hem terechtgekomen omdat ik door al dat gejaag en geneuk last van mijn spieren had gekregen. In zijn kamer hing deze tekst aan de muur:

IF YOU WANT HEALTH PREPARE FOR PAIN

De natuurlijke orde is in onze moderne tijd volgens hem verstoord. Mannen moeten van nest tot nest vliegen om vrouwtjes te bevruchten. Hij wist niet hoezeer dat koren op mijn molen was. Hij sprak over de oertijd en hield een verhandeling over bonobo's. Mannen waren volgens hem niet gemaakt om alleen te zijn. Hij stelde voor dat ik zijn jonge vriendin zou leren kennen, 'je moet je vrouw nou eenmaal met je vrienden delen,' mompelde hij. Ha! Mijn osteopaat is een wijs man. Door de week eet hij alleen groente en fruit en drinkt hij thee, maar in de weekenden zijn alle remmen los. Hij nodigde me uit op zaterdagavond. Na een copieus diner met veel wijn strekte zijn vriendin zich in volle glorie uit op het kleed voor de open haard. Mijn osteopaat gedroeg zich als leermeester en gaf mij aanwijzingen hoe zijn vriendin het beste bevredigd kon worden. Ik belde mijn vriend Tom en droeg hem op te komen. Hij vroeg of hij het meisje dat hij net in een café had ontmoet, mocht meenemen. De osteopaat en zijn vriendin stemden in. Het werd een geweldige nacht met de twee vrouwen, die elkaar ook bijzonder lief bleken te vinden, want toen wij met z'n drieën na afloop sigaren rookten en over het leven spraken, gingen zij ongeremd door. Sinds die nacht heeft mijn osteopaat een relatie met twee vrouwen. Hij vraagt regelmatig of we niet langs willen komen, maar Tom en ik wijken van onze regel niet af.

Maar dit is niet het verhaal wat ik wilde vertellen, helemaal niet. Het gaat om het volgende. Het gebeurde vorige week, ik had niet verwacht dat me dit zou gebeuren. En zeker niet op de kunstbeurs in Brussel met Tom in de buurt. Later begreep ik dat het niet zo toevallig was. Cynthia's nieuwe vriend is galerist en hij was voor zaken op de beurs. Hij wilde met haar op de opening paraderen. Daarom was ze niet incognito. Cynthia zag eruit als Cynthia *for the whole world to see.* Ik stond met een glas champagne in de hand in onze stand handen te schudden en kussen uit te delen. Het publiek was keurig, het lachte en gonsde beschaafd. Opeens verstomden de geluiden, mensen hielden stil. Cynthia en een playboy met een babyface kwamen hand in hand aangelopen. Ze droeg een nauwsluitende mantel van slangenleer en liep voorzichtig alsof haar hals breekbaar was en haar hoofd ieder moment van haar romp kon vallen. Ze liet zich als een blinde leiden door haar trotsglunderende geliefde. Tom was druk bezig samen met onze assistente een werk aan visdraad op te hangen. Ik durfde niet te roepen. Ze was tien meter van onze stand verwijderd, vijf meter, één meter. Voor onze stand liet ze plotseling de hand van haar vriend los en kwam bij ons binnen. Ze keek naar een van onze kunstwerken. Het Trances-pel. Ik zei: 'Cynthia, ga zitten.' Sommige mensen moet je commanderen. Ik nam tegenover haar plaats.

Cynthia en ik speelden Trance. Tussen ons in het siliconen speelbord. Een bobbelig oppervlak met daarop twintig knikkers in verschillende soorten en kleuren. Ik droeg Cynthia op tien knikkers uit te kiezen en ze op het speelbord te leggen waar ze wilde. Ik deed hetzelfde. Ik vertelde haar dat het spel geen regels heeft. We moeten om beurten een knikker verplaatsen en neerleggen waar het ons belangrijk voorkomt. Ze keek me een moment wantrouwend aan, maar mijn glimlach boezemde haar vertrouwen in. Ze wreef in haar handen en wierp haar haren naar achter. Ze pakte een kleine rode knikker en legde die aan mijn kant op de rand. Ik pakte een grote metalen knikker en legde die naast haar kleine rode. '*This is fun*!' riep ze en verplaatste weer een knikker op het veld. Ik had iedere keer dat ze met haar lange vingers een knikker vastnam het gevoel dat ze over mijn ballen aaide. Ik zat met een enorme paal in mijn broek, maar vergat de zaken intussen niet. Ik dacht: dit wordt een deal. De Trance-installatie kostte 12 500 dollar. Tom, die achter haar stond, wist nog steeds niet dat de vrouw tegenover mij het beroemdste model ter wereld was.

Cynthia kwam overeind en keek naar de andere kunstwerken. Ze vertelde dat ze schilderijen verzamelt van poezen. 'Wij verkopen geen schilderijen van poezen,' zei ik trots. Ik wees naar de foto aan de wand van een jonge Engelsman, maar daar stond alleen een morsig hondje op afgebeeld. Cynthia trok haar wenkbrauw op. Ze vroeg waar ik mijn sportschoenen had gekocht. Ik zei bij Donna Karan in Rome. Het was niet het moment om te vertellen over de vurige verkoopster met het Hitler-snorretje die Tom en ik na sluitingstijd in een kleedkamer hadden klaargespeeld. Toen schoot me te binnen dat ik nog een andere foto in de aanbieding had. Ik liet haar de catalogus van de Engelse fotograaf zien. We gingen naast elkaar zitten op het houten bankje. Ik legde het boek op haar schoot.

Ze vond het een heel lief poesje, een schattig poesje, hoe oud zou het zijn, een week, twee weken? Maar wie was die dikke vrouw met die gele tanden die het beestje met een spuitje voedde? Ze had pukkels op haar kin en snorharen. Ik zei dat ze de moeder van de fotograaf was.

'*Really*?' zei Cynthia ongelovig. Ze keek de moeder in de ogen en gleed met haar vingers over de dikke armen met de tatoeages. Ik dacht: het maakt het poesje niet uit of ze in de armen ligt van een monster of een model. Voor dieren was uiterlijk van geen belang. Ik nam Cynthia mee in het kleine kamertje achter in de stand waar een dia-installatie stond opgesteld. Tachtig dia's van blauw naar rood. 'Iedere keer dezelfde kleur,' zei Cynthia ongeduldig. 'Ja, Cynthia, je moet goed kijken.' 'Ik zie verandering,' zei Cynthia opgewonden na tien dia's, ze legde haar hand op mijn kruis, we veranderden van blauw in rood. Haar vriend verscheen in de deuropening en zei: 'en nu kom je mee.' Cynthia stapte uit het donkere kamertje en nam de hand van haar vriend. Ze keek nog even om en zei: 'Misschien kom ik terug.'

De Duitse galerist van de overkant vond Cynthia zo 'spiessig', maar hij was natuurlijk teleurgesteld dat alleen haar vriend in zijn stand was geweest, en ik vond haar beslist niet 'spiessig', wel onwezenlijk, alsof ze net per e-mail was aangekomen, allerlei mensen kwamen naar me toe, wilden weten wat ze had gekocht, wat ze had gezegd. Sommigen kwamen me feliciteren dat ik met Cynthia Trance had gespeeld en met haar in het donkere hokje was geweest. Ik voelde me apetrots. Tom was verontwaardigd dat ik haar niet aan hem had voorgesteld. Ik hield voor hem verborgen dat zij met haar vingertoppen kenbaar had gemaakt dat alles voor mij mogelijk was. Ik wilde haar voor mezelf.

De volgende dag kwam zij terug, haar haren in een staart, haar gezicht onopgemaakt. Ze droeg een lange regenjas. Ze mompelde dat ze slecht had geslapen. Voor een model is dat bijna even erg als doodgaan. Ik wilde niet dat Tom zich met haar zou bemoeien en stelde voor dat ik haar het mooiste werk van de beurs zou laten zien. We hadden het buiten de beurs gehangen – onzichtbaar haast – om alleen opgemerkt te worden door de mensen die Tom en ik erop attent maakten. Wij moeten onze verzamelaars het gevoel geven dat ze uitverkoren zijn. Cynthia volgde mij gehoorzaam. We wandelden via de parkeergarage naar buiten. Midden op de brug voor de beurs bleef ik stilstaan en wees omhoog. Cynthia keek naar de blauwe hemel. Ze slaakte een kreetje. Een paar meter boven ons hing een zwart plastic doosje. Het hing niet, het zweefde. Cynthia's mond viel een stukje open. Ze wilde weten hoe dat doosje daarboven haar hoofd kon zweven. Ze smeekte me om uitleg. Ik zei: 'Luister eens goed, dit werk gaat niet over techniek maar over betovering.' Ze vond dat mooi gezegd. 'Ik vind je leuk,' zei ze met een beloftevolle glimlach. Ik wees haar erop dat het zwevende doosje bij ons te koop was. Ze herhaalde wat ze gisteren had gezegd. Ze verzamelde alleen schilderijen met poezen erop. Dat leek me een enorme beperking.

Cynthia keek naar het doosje, ze was betoverd, ze pakte mijn hand en vouwde die om de hare, onze grenzen vielen weg, ik kon doen met haar wat ik wilde, we liepen door de parkeergarage langs mijn auto, ik trok de achterklep omhoog, ging op het bubbeltjesplastic waarmee we onze kunstwerken verpakken liggen en trok haar boven op me. Het begon met een kus die zo warm en innig was, dat ik het gevoel had met haar te versmelten, mijn handen gleden onder haar regenjas over haar rug, haar billen, haar benen, haar huid was koel en zacht als fluweel, ik kantelde haar terwijl we onze kus voortzetten, ik gleed met mijn handen onder haar truitje en nam haar stevige borsten vast, haar harde tepels, ze knoopte mijn broek open en pakte mijn geslacht, ik gleed met mijn vingers onder haar slipje, ze was heet en vochtig, ik trok haar weer boven op mij, ter hoogte van mijn schouders, verdween met mijn hoofd tussen haar benen, terwijl ik met mijn tong wild tekeerging, kreunde ze en schudde ze haar onderlichaam, de bubbeltjes onder mij ploften een voor een open, ze trok hard aan mijn geslacht, het stond op uitbarsten, ik schreeuwde 'stop!' Ik wilde haar eerst helemaal gek maken, ik likte haar kontje, ze wilde meer, ze ontrukte zich aan mijn tong en ging boven op mijn geslacht zitten, ik gleed moeiteloos achter bij haar binnen, ze zette haar mond op mijn mond, ik stootte in haar, ze fluisterde: '*hart und fest*', ik voelde me machtig terwijl ik in haar stootte, ik neukte haar namens alle mannen en jongens op de wereld, en namens alle dieren, mijn pik was een wereldpik die de wereldvrouw verzwolg. Cynthia richtte zich op en streelde mijn ballen, ik beet op haar tepels en in haar nek, zoals mijn osteopaat me had aangeraden, we raakten in trance, ik weet niet hoelang het duurde, ik likte haar, ik neukte haar, haar zachte donkere haren zwiepten over me heen, ze kreunde, ze lachte, ze kietelde, ze krabde, ik dacht: deze vrouw is wel tekortgekomen en ik dacht ook: ik kan haar in mijn eentje aan, daarvoor heb ik Tom niet nodig, ik kwam overeind en neukte haar in haar mond terwijl ik haar met mijn hand bevredigde, ze wilde het zelf doen, ze zong, ze ratelde, ze kreunde, nog even, nog even, de laatste bubbeltjes onder ons barstten open, ik kwam klaar, spoot over haar oogleden, haar perfecte neusje, haar gulzige mond, ze kwam klaar met een langgerekte zucht, ze glimlachte, likte met haar tong het zaad van haar lippen, '*this is crazy,*' zei ze voldaan met diezelfde mond die ik lachend op de omslagen van tijdschriften had zien staan, diezelfde lachende mond die uitspraken deed als *The difference between the girls today and models of the past is that we are not only interested in fashion: we are going in so many different directions at once.* Dat laatste was beslist niet gelogen.

We kropen uit de auto en terwijl ze haar rokje rechttrok, zei ze dat ze nog een keer naar het zwevende doosje wilde kijken. Toen we op het bruggetje stonden, kwam haar vriend aangelopen. Hij stelde zich keurig aan me voor. Cynthia wees naar het doosje. De playboy keek omhoog. Hij had zijn bril niet bij zich. 'Een paar meter boven jou zweeft een klein zwart doosje,' zei Cynthia geheimzinnig. Hij keek ons aan alsof we hem in de maling namen. 'Het is een werk van een jonge Belgische kunstenaar,' zei ik. '*I don't like it,*' zei hij, '*this is magic.*' Onder het zwevende doosje namen we afscheid. Cynthia gaf mij kameraadschappelijk een hand en draaide zich om. Ik zag haar gearmd met haar vriend weglopen in de richting van een sport-Mercedesje. Ik dacht: iedere vrouw maar één keer. Maar haar wilde ik terugzien. Ik was verdrietig omdat dat niet zou gebeuren en ik deze heerlijke episode met niemand kon delen. Ik keerde terug naar de beurs, dronk in de VIP-bar gratis champagne. Ik had zin om de neger die mij champagne inschonk apart te nemen en hem het verhaal uit de doeken te doen. Want aan Tom zou ik het zometeen niet kunnen vertellen. Het was hoogverraad om haar in mijn eentje geneukt te hebben, en met zoveel genoegen. Ik wandelde weer terug naar onze stand waar Tom net het Trance-spel aan het verkopen was aan een mooie verzamelaarster in een kort rokje. Ik moest aan mijn vader denken die mij had gezegd dat hij zich nu hij de 75 was gepasseerd een stuk prettiger voelde omdat zijn libido tot rust was gekomen en hij zich kon beperken tot zijn nieuwe vriendin, een jonge gymnastieklerares die van geen ophouden wist.

De minister van Defensie is een schat

KAREL GLASTRA VAN LOON

Ik had vooraf aan mijn geliefde gevraagd wat ze van hem vond, zoals ik dat altijd deed bij mannelijke geïnterviewden. Niet omdat me dat meer inzicht verschafte in de geïnterviewden, maar omdat ik zo heel langzaam aan iets ging begrijpen van wat er om ging in haar. 'De minister van Defensie,' had ze gezegd, 'is een schat. Een beetje een treurige schat, dat wel, maar verder: echt een lieverd. Hij lijkt een beetje op een oude teddybeer, waarvan ik ooit, langgeleden, het linkeroog uitrukte, waardoor er een gat ontstond zo groot als een stuiver. De beer bloedde kapok. Mijn moeder heeft hem toen een zeeroversooglap gegeven, waardoor ik 's nachts niet meer kon slapen. De beer werd verbannen naar de zolder.'

Aan die beer moest ik denken toen ik op een Hollands grijze namiddag tegenover de minister zat. Hij heeft een statige werkkamer, in een oud gebouw in het centrum van Den Haag. De meeste ministeries zijn tegenwoordig ondergebracht in kolossale nieuwbouw, maar Defensie zetelt nog als vanouds aan het Plein, in het hart van de democratie – of wat daar nog van over is. Vanuit de werkkamer van de minister kun je met een uzi zo de kamerleden neerknallen als zij het gebouw van de Tweede Kamer verlaten. Alleen heeft de minister van Defensie geen idee hoe zo'n uzi werkt – de schat. Hij is het type man waar enigszins treurige, alleenstaande vrouwen van rond de overgang verliefd op worden. Vanwege zijn hulpeloosheid. En vanwege zijn kinderlijke behoefte aan aandacht, en meer nog aan troost. Hij is corpulent, om niet te zeggen vadsig, en zijn gezicht is getekend door de drank. Als hij lang praat, wordt hij kortademig en krijgt hij rode vlekken in zijn nek. Hij rookt Caballero's zonder filter.

Ik was bij de minister om hem te interviewen voor een niet zo respectabel weekblad. Het moest een gesprek worden over oorlog en seks – zeg maar: een gesprek over mannenzaken. Wij schudden elkaar de hand en terwijl ik nog nadacht over de teddybeer met het zeeroversooglapje, begon de minister aan een lange monoloog over een volstrekt onbelangrijke kwestie die in die dagen de gemoederen in Den Haag nogal bezighield en waarover ik het beslist niet wilde hebben. En dus staarde ik maar zo'n beetje naar dat vreemde, gevlekte hoofd, met de waterige ogen die mij steeds net niet leken aan te kijken en dacht aan de treurigheid van mannenzaken in het algemeen en die van mannenzaken als seks en oorlog in het bijzonder.

De minister van Defensie, moet u weten, is een beetje zielig. In zijn jonge jaren had hij het beste voor met zichzelf en met de wereld. Hij heeft toen nog geholpen bij het binnenhalen van de suikeroogst op Castro's Cuba. Volgens een jeugdvriend, die ik ter voorbereiding van mijn interview sprak, werd hij er hopeloos verliefd op een Deense schone, die echter niet helemaal naar de Cariben was gekomen om zich in de armen van een bleke Hollander te werpen – voor kaaskoppen hoef je Denemarken niet uit. De Deense schone gaf zichzelf liever aan een knappe neger. En onze minister, de arme drommel, lag stil in zijn tentje te luisteren hoe zijn

Scandinavische prinses drie tenten verderop het orgasme beleefde dat hij haar zo graag had willen geven.

Het is maar een anekdote natuurlijk en jeugdvrienden zijn beslist de onbetrouwbaarste bron waaruit een journalist kan putten – maar toch: toen ik hem zo achter zijn bureau zag zitten, een enorm eikenhouten gevaarte, dat bureau dan, toen dacht ik bij mezelf: die klap van die Deense is hij nooit helemaal te boven gekomen.

Na de monoloog over de triviale kwestie waarover de minister een al even triviale mening bleek te hebben, spraken wij een goed halfuur over het hoe en waarom van zijn ministerschap. Onze minister was veertien jaar lang buitenlandspecialist voor de sociaal-democraten geweest. Hij had in die jaren nimmer blijk gegeven van een werkelijk scherp verstand, noch van een bijster originele geest. Maar wel was hij, zo bevestigden mij vriend en vijand, vasthoudend, loyaal en opportunistisch als het zo uitkwam – en het kwam nog wel eens zo uit. Uiteindelijk werd hij, bij de vorming van het eerste kabinet in jaren waaraan ook de sociaal-democraten weer eens mee mochten doen, voor zijn hondentrouw beloond. Niet met het ministerschap van Buitenlandse Zaken, zoals hij zelf graag had gewild – daarvoor vond men hem toch wat al te provinciaal. BuZa wordt bevolkt door een nogal eigenwijs slag ambtenaren, veel hele en halve adel en Haagse kak, en onze held kwam uit Oldenzaal, *of all places,* zoon van een rijwielhersteller, met een moeder die werkte als hulp in de huishouding bij de een of andere barones. Dus BuZa, nee, dat kon echt niet – hij kreeg Defensie, een ministerie waar sinds het einde van Koude Oorlog geen eer meer aan te behalen viel, en waar, wat in dit geval minstens zo zwaar woog, nauwelijks politieke schade kon worden aangericht. Zelfs niet door een treurige, drankzuchtige teddybeer.

Het eerste halfuur van ons gesprek ging dus eigenlijk over niks, maar ik hoopte dat het troosteloos gekabbel van ministeriële gemeenplaatsen de voorlichter in slaap had gewiegd.

'Acht u zichzelf,' vroeg ik na dat halfuur, 'in staat om in geval van oorlog een vijandelijk soldaat van het leven te beroven?'

'Alleen per ongeluk,' grinnikte de minister.

'De ministeriële verantwoordelijkheid,' begon de voorlichter.

'Weet ik,' zei ik. 'Als ik zeg: *"I love the smell of napalm in the morning"* wat zegt u dan?' Vragen blijven afvuren, daar gaat het om, zorgen dat ze er niet tussenkomen die vervloekte onderkruipers van het voorlichtersgilde.

'Geen idee,' zei de minister. 'Ik kan me niet voorstellen dat napalm prettig ruikt.'

'Wat is de laatste oorlogsfilm die u heeft gezien?'

'*Pastorale '43*.'

Dit schoot ook niet op.

'Wat misschien wel interessant is om te vertellen,' zei de voorlichter. En ik wist zeker dat wat komen ging niet interessant zou zijn. Hij vertelde het toch, en de minister veerde op achter zijn bureau en vulde het verhaal van zijn rechterhand-in-medialand moeiteloos aan met nog oninteressantere details en uitweidingen, zodat ik tenslotte als een murwgeslagen boxer in mijn stoel hing.

'Tsja,' was het enige dat ik kon uitbrengen.

De minister keek op zijn horloge. En deed toen iets

wat ik nog nooit eerder had meegemaakt in politiek Den Haag en wat mij onmiddellijk weer rechtop deed zitten, en deed glimlachen, en zelfs inspireerde tot het uitspreken van diverse beleefdheden waar ik zojuist nog slechts tot beledigingen in staat was geweest: hij stuurde zijn voorlichter naar huis. 'Vijf uur is vijf uur, mijn beste!' zei de minister, en de voorlichter protesteerde wel – maar het hielp niet. Ik had hem bijna bemoedigend op het voorhoofd gekust, zo had ik met de arme man te doen.

Toen de zware eikenhouten deur weer was dichtgevallen, schonk de minister ons beiden een glas whisky in (een notenhouten kabinet bleek een koelkast te verbergen), en vroeg, terwijl hij zijn vijfde Caballero zonder filter opstak: 'Wat weet jij van Sterrensport?'

Op die vraag had ik niet gerekend.

Van Sterrensport wist ik namelijk het volgende. Enkele jaren geleden nam de buitenlandspecialist van de sociaal-democraten deel aan dit prachtprogramma. Na afloop van de opnames liet hij zich, na het nuttigen van enige alcoholische versnaperingen, achter in een touringcar pijpen door een bekende presentatrice wier naam ik hier, om wille van de privacy, niet zal onthullen. Terwijl de parlementariër en de presentatrice zo bezig waren, kwam een collega-parlementariër de bus binnen – toevalligerwijs ook een man, maar van christelijke huize. Die sloeg het tafreel enige ogenblikken gade, verliet de bus en belde de socialistische fractiesecretaris (inderdaad, klikken daar zijn die christenen nog altijd goed in). De fractiesecretaris, inmiddels met pensioen en aan de drank, vertelde het verhaal twee dagen voor het interview aan mij.

Ik wist dus even niet wat te antwoorden.

'Laat ik mijn vraag anders stellen,' kwam de minister mij te hulp. 'Was je van plan om op te schrijven wat mijn goede vriend Gerard je met zijn dronken kop heeft verteld?'

Aha! Een slimme zet. Gekken en dronkaards mogen dan de waarheid spreken, het komt je geloofwaardigheid bepaald niet ten goede als je al te veel materiaal aan hen ontleent.

Wat moest ik doen?

'Uw goede vriend Gerard is een openhartig mens,' zei ik, om tijd te winnen.

De minister van Defensie stond op uit zijn stoel. Liep naar het raam dat uitzicht bood op het Plein en de nieuwbouw van de Tweede Kamer. Glas in de ene, sigaret in de andere hand.

'Mijn beste Thomas, mag ik Thomas zeggen...?'

'Ga uw gang.'

'Mijn beste Thomas. De liefde is als Medusa, een vrouwenlijf dat begeerte wekt, maar op het hoofd duizend giftige slangen.'

'De liefde?' vroeg ik, omdat ik veronderstelde dat hij het nog steeds had over het Sterrenslag-incident dat ik met veel in verband kon brengen, maar toch moeilijk met de liefde. Hij reageerde niet op mijn vraag, maar vervolgde onverstoorbaar: 'Het verbaast me dat de Nederlandse pers zo weinig interesse heeft voor het liefdesleven van politici. Niet dat ik mij beklaag, verre van dat, zoals jij zult begrijpen, maar waarom zijn de Engelsen, de Fransen en de Duitsers wel dol op dat soort schandalen en Nederlanders niet? En vertel me nu niet dat we er te fatsoenlijk voor zijn, want de praktijk van het Haagse liefdesleven zoals ik die ken is allesbehalve fatsoenlijk.

En ook de journalisten die ik hier in de loop der jaren heb leren kennen, blinken nu niet direct uit door fatsoen – de goede niet te na gesproken natuurlijk.'

Ik zat hem, denk ik, nogal schaapachtig aan te kijken. Ik wist werkelijk geen zinnig antwoord te bedenken op de vraag die hij opwierp. Waarom zou ik nooit een letter schrijven over onze brave minister en de gedienstige televisiepresentatrice – terwijl ik de smakelijke roddel natuurlijk allang met veel genoegen had doorverteld aan enkele collega's en hem ook zeker binnenkort *en passant* zou inzetten in een kroeggesprek? Waarom? Ik had geen idee.

Onze minister van Defensie stond nog steeds bij het raam. Hij keek me aan met een blik die tegelijkertijd uitdagend en vermoeid was. Hij zei: 'Waarom is orale seks voor de meeste mannen het ultieme genot – dat wil zeggen: het *ontvangen* van orale seks, de *blow job* zal ik maar zeggen?' Ik was te zeer verbijsterd om te kunnen reageren. 'Omdat wij mannen ons niets onsmakelijkers kunnen voorstellen dan het in de mond nemen van een mannelijk lid,' zei hij, 'of niet soms? En het is dat element van vernedering dat ons opwindt. Daarom is oorlog ook opwindend. Omdat het de gelegenheid biedt om anderen te vernederen.'

Ik zweeg. Ik wilde weg. Ik had de minister eindelijk waar ik hem hebben wilde, maar hij had me inmiddels zo in de hoek gedreven dat ik me met mezelf geen raad meer wist. Hij schonk zichzelf nog een glas whisky in.

'Mijn beste Thomas,' vervolgde hij, 'laten we dit gesprek beëindigen. Jouw interview heeft niets opgeleverd. We kunnen het nu toch niet meer hebben over mijn beleid, over nieuwe helikopters, over verre brandhaarden? Nu we hebben gesproken over het grootste taboe, valt al het ander in het niet. En over het grootste taboe kun je niet schrijven, daar is het immers het grootste taboe voor. Wie durft op te schrijven dat de drang tot oorlog en de drang tot orale bevrediging zijn terug te voeren tot dezelfde bron maakt zichzelf onsterfelijk belachelijk. Zeker als hij tot die conclusie is gekomen na een bezoek aan de Nederlandse minister van Defensie. Hahaha!' Hij lachte overdreven luid en zonder dat hij ook maar een moment zijn best leek te doen om het welgemeend te laten klinken. Hij was een B-acteur in een B-film, en hij genoot van zijn rol.

'Ga nu maar,' zei hij. 'Ledig je glas, doe een plas en ga naar huis. Bel nooit met dronken jeugdvrienden ter voorbereiding van een interview, je hebt er uiteindelijk niets aan. Als ze ontnuchterd zijn hebben ze spijt van hun woorden en waarschuwen ze je slachtoffer – zoals Gerard deed. En wat is dan het gevolg? Dat jij in je hemd staat en niet ik. Dat jij je moet verdedigen, mijn beste, want wat heb jij te maken met mijn seksleven? Nou?!'

Dat hij niet meer sprak van de liefde, maar van seks, onderstreepte de plotselinge verandering in zijn gemoedstoestand. Niet langer was hij de gemoedelijke Oldenzaler, de dikbuikige sukkel. Hij had zijn rug gerecht, zijn gezicht straalde ondanks de wallen, de onderkin en de rode vlekken opeens iets onverzettelijks uit – hij was niet langer zielig, maar eerder driftig, parmantig. Opeens was ik de sukkel.

Ik stond op. Ik geloof dat ik nog iets heb gezegd over de liefde – iets banaals, iets wat ik mij niet meer wil herinneren. Hij ging mij voor naar de deur, reikte mij niet de hand, maar zei ten afscheid: 'Het ga u goed met uw werkzaamheden.'

Ik liep de trap af, de hal door, de deur uit. Ik dacht aan geweerlopen en gulzige vrouwenmonden. Buitengekomen heb ik een straatmuzikant drieëendertig gulden en vijfenveertig cent gegeven – meer had ik niet bij me. Ik vroeg of hij *Masters of War* van Dylan wilde zingen, maar dat kende hij niet. Hij kende wel *The Times They Are A-changing*.

'Doe maar niet,' zei ik.

'*Blowing in the Wind?*'

'Nee, dank je.'

Toen ik wegliep hoorde ik hem *Mister Tambourine Man* inzetten. Wat heeft die Dylan evenzogoed een hoop kutnummers geschreven.

Thomas

MANON UPHOFF

Dit werd verteld: het was een enorme klus geweest om hem geboren te laten worden. Alsof iemand hem had ingeblikt, zei de vroedvrouw. Ruim drie weken te laat was hij kennelijk vastbesloten om in de buik van zijn moeder te blijven zitten, maar uiteindelijk was het dan toch gelukt. Hij had niet gehuild. 'Kon ook niet,' zei ze. 'De navelstreng zat om zijn nek als een feestslinger.' Thomas werd hij genoemd, naar zijn vader. Een grote, vadsige man die op grond van stem en postuur – beide verleenden hem een soort 'natuurlijk' gezag – een redelijke positie in het leger had bereikt. Vielen bij Thomas senior vooral de ronde, intens blauwgroene ogen op (onder de stevige frons gaven ze zijn gezicht iets kinderlijks), in het gezicht van Thomas had de ontwrichtende schoonheid van deze bijna té lichte blauwgroene ogen (het enige wat hij van zijn vader had geërfd) zelfs toen hij nog een peuter was, het tegenovergestelde effect: dat van volwassenheid en ernst. Iets transparants waardoor de mensen zich slecht op hun gemak voelden. Opgejaagd, alsof hij dwars door je heen keek. Het was op die manier alsof hij je steeds op iets achterbaks betrapte, zodat je bijna zin kreeg dat dan ook maar te gaan doen. Maar het was bijna onmogelijk om niet naar hem te kijken.

Zijn moeder had de laatste drie maanden van de zwangerschap gedwongen in het ziekenhuis doorgebracht. Na een korte opleving viel ze terug in beweginglooosheid. Alsof ze besefte dat dit kind, waar ze erg naar had verlangd, niet de verstrooiing en het plezier opleverde die ze had verwacht. Ook al gedroeg ze zich liefhebbend en kalm, haar gedrag overschreed bijna nooit de grenzen van onmiddellijke zorg. Dus ze gaf hem te eten, deed hem in bad, kocht passende kleren, kamde zijn haar, stopte hem in bed (ze was zich er goed van bewust dat dit werd verwacht), maar vaak vergat ze halverwege wat ze eigenlijk aan het doen was en dan kon je Thomas half aangekleed aan tafel zien zitten, met voor zich een kale boterham, een leeg glas. Of zijn moeder die met gesloten ogen achter hem zat, de kam rustend in haar handen.

In de buurt ging het verhaal dat moeder en kind zo gehecht waren aan stilstand en beweginglooosheid, dat het op zichzelf wel een dagtaak leek. Maar lui of niet, hij groeide op tot een eigenaardig, zeldzaam aantrekkelijk kind. Hij had een bijna transparante huid en een sterke, pezige musculatuur, waar toch ook iets zachts in zat. Zijn schoonheid verborg iets verontrustends dat toen hij ouder werd meer opviel. Op vierjarige leeftijd hengelde hij de twee goudvisjes uit hun kom en ontleedde ze minutieus op de snijplank. Toen de vissen, nadat hij hun restjes in de kom had teruggegooid, niet meer tot leven kwamen, was hij ontroostbaar. Het was zijn eerste grote teleurstelling, de kennismaking met de onomkeerbaarheid van handelingen. Nog een tijdlang onderwierp hij plant, dier, ding en zelfs zichzelf aan zijn destructieve nieuwsgierigheid (hij pulkte korstjes los tot het begon te ontsteken, en één keer kwam hij binnen met in zijn hand een grote pluk uit zijn hoofd getrokken haar), maar dit gebeurde met minder en minder droevigheid en zonder de geamuseerde wreedheid die sommige kinderen erbij aan de dag leggen. Eerder met eenzaamheid, alsof hij het nu helemaal begreep, die scheiding tussen gedachten en handelingen, tussen binnenwereld en buitenwereld. Hij sloot zichzelf als een schelp. Vaardigheden die hij eerder had opgedaan, leken te verdwijnen. Voor het eerst in jaren zocht hij de comfortabele warmte van zijn moeders schoot en borsten. Ze weigerde eerst, met een mengeling van ergernis en verbazing, maar toen omarmde ze hem dan toch, alsof hij nog net op tijd was veranderd in dat liefdesobject dat ze al lang had willen hebben. Ze knuffelde en koesterde hem met een verstikkende tederheid en was tevreden dat hij helemaal geen aanstalten maakte om de wereld te ontdekken en geen interesse toonde in anderen of in het leven buitenshuis.

Op de dag van zijn zevende verjaardag raakte hun land verwikkeld in een burgeroorlog, die als een schokgolf over hun stad en hun levens heentrok. Zijn vader, die met zijn legereenheid zwaar in de strijd was verwikkeld, keerde maar af en toe terug en toonde bij die gelegenheid nog maar nauwelijks interesse in het naar binnen gekeerde kind. Toen de strijd na vier lange jaren werd gestaakt en het leven van alledag weer een plekje probeerde te veroveren, was Thomas elf; een lange, wat grauw getinte, maar daarom niet minder beeldschone jongen, die nog steeds met zijn moeder in het inmiddels sjofele appartement leefde. Nu de rook was opgetrokken, was pas goed te zien hoe de gemeenschap zich de laatste jaren vooral van de mannen had ontdaan. Het leek wel alsof alleen de vrouwen waren overgebleven. Uitgeknepen als fruit, gedesillusioneerd, in veel gevallen losgekoppeld van man en kinderen maakten ze geschrokken de balans op. Zoons en dochters hadden in het buitenland een veilig heenkomen gezocht, mannen die terugkeerden, waren in de meeste gevallen invalide en verbitterd. En plotseling zagen ze hem. Alsof er een kistje met een kostbaar, zeldzaam plantje was opengemaakt. In hun ogen werd hij de parel van het vervallen complex. Ze begonnen hem tegen te houden in de hal. Praatten tegen hem aan in het trappenhuis. Raakten hem aan, voorzichtig, moederlijk, beschermend. Streken over zijn haar, veegden een overhangende lok uit zijn ogen, hielden hem (vaak langer dan nodig was) vast bij zijn smalle pols, trokken hem soms glimlachend wat dichter naar zich toe (de geur van brood, parfum, kruiden van de markt). Ze wilden hem te eten geven, zochten in de stapels achtergebleven kleding van hun mannen en zoons naar hemden en truien en broeken die hem pasten.

Al gauw bracht hij het grootste deel van zijn naschoolse tijd door met het binnengaan van het ene na het andere appartement, waar de vrouwen zich over hem heen bogen, kussens klopten, hem naast zich uitnodigden, hem fotoalbums lieten zien, het huis rondleidden, hem bewonderden, naar zijn intiemste gedachten vroegen, hem op hun bank lieten zitten, liggen mocht ook, sokken uit. Ze begonnen hem hun verhalen te vertellen. (Eén van hen, je kon zien dat ze erg mooi was geweest, deed hem op een dag half huilend verslag van het verlies van haar schoonheid. Dat was de afgelopen vijf jaar gebeurd. Haar huid was grauw geworden, ze was drie kiezen kwijtgeraakt, haar borsten hadden hun volume verloren.) Het begon al te schemeren toen ze zich na het derde glas drank, half bitter, half opgewonden voor hem uitkleedde, met trillende vingers haar beha losknoopte en hem vroeg eens te kijken. Haar zucht, toen zijn koude handen de warme huid van haar borsten raakten, kwam van diep: 'O jongen, o jongen.' Dag na dag werd hij verder ingewijd en leerde hij over hun zorgen en verwachtingen. Ze namen geen blad meer voor de mond. Het was goed dat hij zulke dingen hoorde. Stuk voor stuk begonnen ze hem op te leiden tot de persoon die ze in hun leven het meest hadden gemist. Hij liet het zwijgend over zich heenkomen. Soms was het alsof hij verstrikt was geraakt in een zoete, hallucinerende droom vol cirkels en ellipsen en altijd maar achter het witte konijn moest aanrennen, dat hem dieper en dieper de tunnel inlokte. Aan het eind van de dag zocht zijn moeder hem. Ze stond in het portaal en riep jaloers zijn naam. Vond hem hier of daar, met door elkaar gewoelde haren en een verweesde, half glimlachende uitdrukking op zijn gezicht, alsof hij slaapwandelde. Dan sleurde ze hem woedend en afgewezen terug naar het huis. Soms kwam hij zelf. Tollend op zijn benen. Misselijk van de zoetigheid en de zware koffie en alcohol die de vrouwen hem toedienden alsof hij een patiënt was en dit het medicijn. Hij bood geen tegenstand. Liet gelaten toe dat ze hem kleedden, voerden als vogelmoeders, met hem rondliepen, koketteerden, hem verstikkend beschermden. Nog wat later grinnikte hij om de korte, maar heftige aanvallen van jaloezie. (Een moeder en een dochter vlogen elkaar in het trappenhuis, om hem, in de haren. Twee oudere buurvrouwen weigerden nog langer elkaar te begroeten omdat hij bij de ene meer tijd had doorgebracht dan bij de andere.) Hij leerde zelfs, zonder precies te weten wat het was dat hij leerde, om op zijn gezicht die uitdrukking te leggen die de vrouwen de blik van een 'gentleman' noemden. Eén van de vrouwen gaf hem op een dag het ingekorte en bijgewerkte pak van haar man en hij paradeerde erin rond alsof het zijn eigenlijke huid was. Het had lachwekkend kunnen zijn, maar dat was het niet. Op de markt werd er eerst wel om ze gelachen, dat groepje vrouwen dat als bijen om hem heen cirkelde, maar hij leerde de grappen voor te zijn en verweerde zich bijtend en scherp. Thuis, in hun krappe kamers, zongen ze voor hem: 'Kleine jongen, ren je weg, ren je weg, naar de gouden plek'. Ze vertelden hem over hun eigen kinderen, echtgenoten, broers, mannen. Soms vol opluchting, maar anderen werden heftig betreurd en nu vestigden ze al hun hoop op hem. Het was een eindeloze, tijdloze periode vol van verrukkelijke verveling en herhaling. Tegen de tijd dat hij vijftien was, waren zijn tanden zo rot van het snoepen dat hij niet meer glimlachte. Een vrouw in een rode jurk kwam langs en schonk het geld om ze te laten repareren. Zijn moeder koos de witste, de ijzigste tanden, waardoor zijn uitstraling iets onnatuurlijks kreeg, alsof hij van een andere planeet kwam.

Toen hij een keer van de trappen viel en met zijn volkomen ontvelde rug dagenlang op één van de sofa's lag en op zijn huid de eindeloze, natte rij kussen van de vrouw achter hem voelde, toen ze voor de zoveelste keer begonnen over zijn vader (die zijn moeder had verlaten en was ingetrokken bij een andere vrouw, bij wie hij kennelijk al aan het begin van de strijd een kind had verwekt), toen ook de vrouw in de rode jurk langskwam en naar hem keek met een blik die hij pas jaren later zou kunnen omschrijven als vol medelijden (hij herinnerde zich hoe ze hem tegen zich aan drukte, de harde goudkleurige knopen van haar jasje, en dat ze had gezegd hoe treurig ze het voor hem vond dat hij in deze omgeving moest opgroeien), begon het verzet in hem. Hij verweerde zich, maakte onberekenbare, hatelijke opmerkingen, mepte van zich af en zocht dan weer hun troost. Ze begonnen al te zuchten dat hij ouder werd. Hun blik veranderde er soms in één van achterdocht. Ze knepen hun ogen samen, hun mondjes werden klein en bitter. Ouderdom vlaagde over hun gezichten. Ze keken naar hem alsof ze probeerden uit te vinden hoeveel van hem kind was, kind bleef.

Er kwam iets gewrongens in zijn houding, iets gebogens, alsof hij probeerde te krimpen. De verbazingwekkend blauwgroene ogen waren als twee ecolinevlekken in zijn gezicht. Ze begonnen te lamenteren dat hij ze zou verlaten. Ondankbaar was het allemaal. Er kwam iets onhandigs, iets wrikkends in hem, dat nog een tijd lang de beleving van schoonheid verhoogde. Oud genoeg, ingewijd op alle fronten had hij inmiddels geslapen met de meerderheid van de vrouwen. Ze geneukt zoals ze dat wilden, met korte, felle slagen. Of van achteren, rustig en langzaam en diep. In nauwe maar vochtige en warme anussen, tunnels waar geen einde aan leek te komen. Hij had geleerd te strelen, te kussen en te likken. Ze de dingen in te fluisteren die ze graag wilden horen, maar het was van korte duur, alsof ze inzagen dat het een spelletje werd, dat hij zichzelf begon te spelen. Wat een jaar, twee jaar geleden nog mogelijk was geweest, begon ze nu te irriteren: zijn luiheid, zijn gulzige eetgedrag. De kleine pasja, noemden ze hem. Na afloop veegden ze zich beschaamd tussen de benen en de billen.

Stuk voor stuk begonnen ze overeenkomsten te zien met andere mannen, neven, buurmannen, ooms, alsof hij het gebied waarin hij onaantastbaar was geweest had verlaten. Hij begon te zweten, kreeg pukkeltjes, de baard in de keel. Ze werden zienderogen afstandelijker, de vrouwen. Dit was niet de elf die ze zonder zorg naar alle ruimtes, spleten en kieren van hun bestaan en hun lichamen hadden kunnen dirigeren.

Op een dag vond één van de bewoners hem huilend in de hoek van de hal. De realiteit was plotseling door de mistigheid van zijn bestaan heen gebroken en hij besefte ineens wat hij wel en niet was geworden. Hij begon rond te hangen bij hun deuren, wat bij de vrouwen irritatie veroorzaakte en nog meer schaamte voor wat ze ooit voor hem hadden gevoeld.

Toen trok hij zich terug. Hij verdween. Na een paar maanden deed het verhaal de ronde (maar niemand wist het zeker) dat hij dood was. Dat was het gevolg van een verschrikkelijk ongeluk. Een vrachtwagen met ijzeren staven had het busje waarmee hij naar het buitenland liftte, opengesneden als een blik erwten en zijn hoofd, zijn beeldschone hoofd was naar buiten komen rollen. O, dat mooie hoofd, lamenteerden de vrouwen. Anderen wisten te vertellen dat een jaloerse minnares zijn keel had doorgesneden, in de nabijgelegen kroeg gaf ze hoog op over haar daad, maar zij was gek, zij had dat zeker niet gedaan. Weer anderen waren er zeker van (ze hadden het van zijn moeder en die kon het het beste weten) dat het hem heel goed ging. Hij leefde ergens aan de kust in het huis van een welvarende, oudere dame. Een andere vrouw beweerde dat ze hem had gezien bij het vliegveld en op het station, waar hij drank, sigaretten en af en toe ook iets anders verkocht aan passagiers en dat vanuit een bepaalde hoek, met een zekere lichtval, zijn ogen en zijn gezicht nog steeds die engelachtige uitstraling hadden (moest je geen aandacht besteden aan de kleine littekens op zijn gezicht). Een zeldzame blik die op kinderen zowel een aantrekkingskracht als een afstotende werking had. Ze stopten om hem beter te kunnen zien, draaiden zich om, lieten zich onwillig meetrekken, alsof ze in hem een schaduw, een voorbode zagen van zichzelf. Ze zeiden dat hij snel was met kaarten, iemand die de toekomst voorspelde. Dat hij verschillende kinderen had verwekt. Schitterende babyjongetjes en -meisjes. Steeds als er een mooi kind geboren werd, fluisterde men dat hij de geheime minnaar was geweest, maar niemand vond uit waar hij werkelijk was. Zelfs zijn eigen moeder had geen flauw idee. Of weigerde iets los te laten. In ieder geval was het alsof de volwassenheid hem had geabsorbeerd, alsof hij over de tussentijd was gesprongen. Maar er was ook een vrouw die beweerde dat ze het kort geleden nog met hem gedaan had. Hij had haar genaaid, zei ze, op de hoek van het Centraal Station. En zijn pik was roodachtig en fel en zoet geweest, en even stevig als voorheen, en hij had zijn orgasme gekregen met die kenmerkende spastische kreun. In één van de huizen dicht bij de kust kon aan de wanden nog een uitvergrote foto van hem gevonden worden. Genomen op een dag dat hij met het grootste plezier als een faun had geposeerd: zijn fel kloppende slanke lid in de hand, de twee ballen volmaakt ovaal en gespannen opgetrokken tegen zijn onderbuik en een regen van kleine, spierwitte druppeltjes die vanuit de fluwelen kop opspoten tegen zijn onderbuik, en in zijn krullende schaamhaar, zonder te weten dat de vrouw die de foto nam op een dag een nogal bekende fotografe zou worden. Daar kon je hem zien, onaangeraakt, behalve door zichzelf, onbekend, schitterend. Meer dan aanwezig genoeg.

Hij was de prelude voor een verhaal dat iedereen het liefste kort ziet. Sommige vrouwen dachten af en toe (maar heel kort, die dingen gaan voorbij) terug aan de riffen van zijn smalle rug. De lichte ogen. Zijn pezige witte lichaam in die uren dat hij voor hen alleen op de bank had gelegen en zijn handen lui had uitgestrekt naar een schaaltje met koud vlees of een restje koude pasta. Zijn ijverige, benige vingers.

Hij was de perfecte minnaar, het perfecte kind geweest.

Zoals Confucius zei

HERMAN BRUSSELMANS

Op zekere dag, zo ongeveer een anderhalve week geleden, dacht ik bij mijzelf: wat nu? Zo godsgloeiende depressief had ik mij, kortom, in geen tijden gevoeld. Nochtans ben ik van nature een luchtig, positief jongmens, zij het erg tegen mijn zin. Iedere vorm van wars denken zou mij vreemd zijn, mocht het niet geregeld sterker wezen dan mijzelf. Confucius zei ooit: 'Wie in de diepte de oppervlakte vindt, die had beter omgekeerd gezocht.' Je mag van Confucius zeggen wat je wil, maar niet dat hij niet nu en dan spijkers met koppen wist te slaan. Wat hij verkondigde, is geenszins altijd begrijpelijk, en zo niet, dan kan je veel van 'm leren. Jammer dat hij dood is. De kwestie is echter dat je tenslotte zelf je eigen problemen moet oplossen, want – en dat bedoel ik nou net – iemand anders zal het niet voor je doen. Aldus besloot ik anderhalve week geleden: of Confucius dood is of niet, het dondert niet, zolang ik maar op eigen kracht uit de duisternis naar het licht terug vermag te keren. Dat is natuurlijk wel gemakkelijker gezegd dan gedaan. Ik ben meer een prater dan een doener. Desondanks hees ik me uit m'n bed, poetste ik m'n tanden, slikte ik een Xanax en gebruikte ik een verkwikkend bad. Geheel uitgeput schoor ik mij, en hulde ik mij in een Schiesser-slip, een 501-jeans, een Hugo Boss T-shirt en zwarte sokken. Ik ben niet zo'n sokkenkenner. Vraag mij om vijftien sokkenmerken op te noemen en ik zou het niet eens kunnen. Als je mij dan toch zou vragen om vijftien merken op te noemen, dan bij voorkeur motorenmerken. Honda, Suzuki, Kawasaki, Yamaha, Daelim, Hyo-sung, Harley-Davidson, Aprilia, Ducati, Laverda, Münch, BMW, Cagiva, MV Agusta en Buell. Zie je wel dat ik het kan. Zo'n nitwit ben ik nu ook weer niet.

Zou ik een shotje speed spuiten? zo vroeg ik mij af. Ach neen, ik zou er alleen maar depressiever van worden en van de weeromstuit omstandig gaan masturberen en als er iets is waar ik totaal geen zin in heb, dan is het wel onanie. Ik vind onanie een enorm onnozele bezigheid. Daar zit je dan, met de bovenkant van die fluit in je hand en je beweegt die hand op en neer, op en neer, op en neer, en ondertussen zit je te sakkeren 'Godverdomme, komt er nog wat van?' en als het dan eindelijk zo ver is, dan vraag je je af: 'Is het dit maar?'

Toch had ik zoiets van: misschien zou een potje seks m'n depressie enigszins verdoven, je weet nooit. Ik heb het bij deze dan wel uiteraard over het enige potje seks dat ons door God met welwillendheid is toegestaan, namelijk het potje seks tussen een man en een vrouw. Al de rest, bijvoorbeeld tussen een driejarig meisje en een ijsbeer, is van een stuitende viezigheid. Voor perversiteiten ben je bij mij aan het verkeerde adres. Ik ben een simpele volksheld die nog zweert bij de oude waarden. Zolang er geen lul en geen kut bij te pas komen (en uiteraard, voor ik het vergeet, een stelletje knoerten van tieten), dan hoeft al die seks voor mij niet. Weet je wat ik echter, eerlijk gezegd, ondanks alles ook heel leuk vind? Dat twee meisjes met elkaar in de weer gaan. Terwijl ze in een *soixante-neuf* verzonken liggen, komt per toeval een vriendinnetje van hen langs. Die kijkt eerst wel even verbaasd op (Wie had dat kunnen denken van Sonja en Tineke? denkt ze bij zichzelf), maar algauw wordt ze zo geil van het spektakel dat ze haar kleertjes uittrekt, zich met de tong uit de mond op haar beide vriendinnen stort, en begint te lebberen in het kontje van Sonja terwijl ze in de tieten van Tineke knijpt. Wie meer stomende lesbische- en trioscènes wil consumeren, die moet mijn nieuwe roman *De kus in de nacht* (Uitgeverij Prometheus, 650 pagina's, 19,95 euro,) maar 'ns lezen, dat boek wemelt werkelijk van de meisjes en vrouwen die niet van elkanders goedgebouwde naakte lichamen (en van het mijne) kunnen blijven. Tijdens het schrijven van dat boek heb ik vierhonderd erecties gehad, dus dat zegt genoeg.

Doch waar had ik het over? Wel ja, ik was depressief en ik oordeelde dat een potje seks me weleens uit de put zou kunnen halen. Dat is allemaal goed en wel, maar seks met wie? Mijn vrouw, dat lieve diertje, was op zakenreis naar Melbourne, waar ze het nieuwe merk van zandstraalmachines dat haar firma produceert op de Australische markt vaste voet aan wal wilde laten krijgen. Ze zou pas op dinsdag terug thuis zijn en de dag waarover ik het in deze vertelling heb was een woensdag, dus reken zelf maar uit: zes dagen scheidden ons van de hereniging waarnaar we allebei zo uitkeken.

Als je niet met je eigen vrouw seks hebt, met wie dan wel? Dat is de eeuwige vraag. Confucius zei daarover: 'Ik zou het ook niet weten.' Zomaar kwansuis naar de hoeren gaan, dat ligt niet in mijn aard. Ik ben in mijn gehele leven nog maar een keer bij de hoeren geweest, en net die keer hadden de hoeren hun dagje niet. De seks was vreugdeloos, ongeïnspireerd, kil, duur en erg kort: na twintig minuten stond ik alweer op straat en de enige gedachte die bij me opkwam, was: ik had net zo goed bij buurvrouw Annabelle kunnen langsgaan. Het probleem met buurvrouw Annabelle is echter dat ze het leven van een plant leidt sinds ze met haar bromfiets tegen een boom reed die daar volgens haar niet had hoeven te staan. Tjonge, wat had ze een deuk in haar helm. Als kenner van tweewielig vervoer wist ik meteen dat zulks geen goed nieuws was, want een deuk in je helm zorgt bijna automatisch voor op z'n minst één soort van hersenbeschadiging. Bij Annabelle waren het zelfs drie soorten van hersenbeschadiging: zowel haar grote hersens als haar kleine hersens als haar middenhersens waren danig geblesseerd. Nee, zij zou nooit meer zo lekker pijpen als ze tevoren ontelbare keren had gedaan. Jammer.

Hoe jammer ook, de hoeren en buurvrouw Annabelle vielen af als potentiële sekstherapeuten en ik moest op zoek naar een andere naaimachine. Men zal zeggen: voor een beroemd schrijver als u moet het toch niet moeilijk zijn om een bedgenote te vinden. Daar heeft men weliswaar volkomen gelijk in, maar het maakt de zaak er niet per definitie eenvoudiger op. Tachtig procent van de vrouwen in België en Nederland (in andere buitenlanden kom ik nooit) wil dan wel naar bed met mij, maar daarom ik nog niet met hen. Ik ben namelijk verschrikkelijk kieskeurig. Ik wil mij alleen verenigen met meisjes en vrouwen die groter zijn dan 1 meter 50 maar kleiner dan 1 meter 95; die geen haar op hun rug hebben of eelt op de onderkant van hun tenen; die minstens twaalf sigaretten roken per dag; die twintig of meer van m'n boeken hebben gelezen; die hun kont goed afvegen nadat ze achterwaarts in het bos hebben gekakt; die twee of meer vriendinnen hebben die geil op hen lopen; die vijftien motorenmerken kunnen opdreunen; die niet de hele tijd uit Confucius citeren (laat dat maar aan mij over); die er geen bezwaar tegen hebben om minstens twee van m'n orgasmes in te slikken, en die – en ik noem maar wat – erg hitsig worden van met hun eigen tieten te spelen terwijl ik hen bef. Vrouwen die aan al die criteria voldoen, die loop je niet per se dagelijks tegen het lijf.

Eentje dat alleszins in aanmerking kwam was Truus van Overstal. Niet enkel voldeed ze effectief aan al de hierboven opgesomde criteria, tevens was ze nog nooit ingrijpend geopereerd aan haar schaamlippen. Daar knap ik echt op af, op geopereerde schaamlippen. Sommige chirurgen mogen dan al prima werk leveren, maar toch blijven er altijd littekens over. Je mag zeggen wat je wil, een belittekende schaamlip in m'n mond, die kan ik missen als kiespijn. Maar neen hoor, een dergelijke schaamlip had Truus niet, dus dat kwam goed uit. Ik had haar leren kennen tijdens een feestje ter ere van de verjaardag van Harry Mulisch. Ikzelf was daar eregast en Truus was er in haar functie van societyjournaliste voor de enige Vlaamse kwaliteitskrant, *Het Laatste Nieuws*. Het klikte meteen tussen ons. Reeds tijdens Harry's verjaardagsrede zat ik Truus in het toilet van Américain te vingeren dat het kletterde. Als je moet kiezen tussen het aanhoren van een rede van Harry Mulisch en het vingeren van een societyjournaliste, dan is de keus snel gemaakt, waar of niet. Begrijp me niet verkeerd, ik heb Harry Mulisch altijd een groot schrijver gevonden. Hij heeft weliswaar maar één meesterwerk geschreven, de dichtbundel *Soep lepelen met een vork*, en hij zal daardoor na z'n dood slechts verder leven als twee voetnoten in de Nederlandstalige literatuurgeschiedenis (de andere voetnoot zal uiteraard – het kan niet missen – over z'n neus handelen), maar voor de rest is Harry een toffe gozer, een leuke halfjood, een goede vriend en een Confuciuskenner van het zuiverste water, wat altijd wel een band schept. Verder zal ik me hem vooral herinneren als de man tijdens wiens verjaardagsrede ik op een keer een stoot van een wijf zat te vingeren in hotel Américain.

Naar die stoot besloot ik te bellen, en ik zocht haar nummer op in m'n stotenboekje. Ik vond het nog ook. Dat viel mee. Ik belde. Ze nam niet meteen op. Zou Truus uithuizig zijn? Eigenlijk kon ik haar beter op haar mobieltje bellen in plaats van op haar vaste telefoon. Maar het nummer van Truus' mobieltje heb ik niet in m'n bezit. Confucius zei ooit: 'Bezit is in wezen nooit oneindig.' Daar had hij klaarblijkelijk gelijk in. De telefoon bleef maar overgaan. Waar zat die stomme Truus van Overstal? Sommige wijven zijn nooit thuis. Het is godverdomme niet omdat je societyjournaliste voor *Het Laatste Nieuws* bent dat je het lef moet hebben om iedereen vruchteloos naar je te laten bellen. En wat is er tegenwoordig mis met een antwoordapparaat. Je moet er eens op letten; praktisch niemand heeft nog een antwoordapparaat, terwijl dat toch één van de meest opzienbarende uitvindingen van de vorige eeuw was, naast de automatische ontkoppeling voor scooters, het condoom voor vrouwen, de herbruikbare tandenstoker en de V2-bom. Wat betreft uitvindingen hinkt deze eeuw trouwens ver achter de vorige. Wat is er sinds de millenniumwende eigenlijk nog uitgevonden? De zandstraalmachine met inwendige boring, dat is het zo ongeveer. En laatst las ik in de krant dat een Noor het condoom voor ijsberen had uitgevonden, waarna hij was opgepakt door de politie, die overigens al lang naar hem op zoek was. Deze eeuw heeft echt waar nog alles te bewijzen. Geen wonder dat een mens er depressief van wordt.

Eindelijk kreeg ik verbinding. 'Hallo? Truus?' zei ik. Maar het was Truus niet. 'Ik ben de vriendin van Truus, Sonja,' zei de meisjesstem. 'Goeiemiddag Sonja,' zei ik, 'is Truus niet thuis?' 'Zij zit in bad,' zei Sonja. 'Wat zit ze daar te doen?' vroeg ik. 'Ze zit zich te wassen,' zei Sonja. 'Ach zo,' zei ik. Zich te wassen, zich te wassen. Altijd wat met die trutten. 'Wie kan ik zeggen dat er gebeld heeft?' vroeg Sonja ondertussen. 'Zeg maar Herman Brusselmans,' zei ik, 'dat lijkt me het meest voor de hand liggende.' Er viel even een stilte, en toen vroeg Sonja met een zwoele stem: 'Herman Brusselmans... De beroemde schrijver...?' 'Nou ja, beroemd,' zei ik, 'eens ik de Franse grens gepasseerd ben, is er geen hond die me kent. Ik moet daar mee leren leven.' 'Mijn God...' zei Sonja zwijmelend. 'Het is nog waar ook...' 'Wat is nog waar ook?' vroeg ik. 'Truus heeft me verteld dat ze je kende,' zei ze, 'maar ik heb haar nooit geloofd. Nu blijkt dat ze toch niet heeft gelogen...' 'Truus liegt nooit,' zei ik, 'dat kan ze zich niet permitteren. Wie als societyjournaliste voor *Het Laatste Nieuws* zou liegen, die wordt meteen aan de deur gezet. Dat is nu eenmaal de bedrijfspolitiek bij die krant, en dat is maar goed ook.' 'Heb jij...' lispelde Sonja. 'Heb jij Truus ooit gevingerd in het toilet van een hotel...?' 'Jazeker,' zei ik, 'het was sterker dan mezelf.' 'Mijn God,' zei Sonja. 'Daar droom ik al lang van, om in het toilet van een hotel gevingerd te worden. Het is één van m'n fantasieën.'

We praatten nog een tijdje verder en het kwam erop neer dat we afspraken om elkaar te ontmoeten in de bar van hotel Het scheve torentje in Lovendegem. Waarom precies dat hotel? Wel, het wordt uitgebaat door een vrouw die ik ken, Tineke Vermeulen. Het is een erg leuke vrouw. Ze voldoet aan al m'n criteria. Tussen mijn twee huwelijken heb ik geregeld met haar verkeerd en daar is een diepe vriendschap uit ontstaan. Na haar dertigste gaf Tineke het wilde leven op en opende ze samen met haar man, Norbert, dat knusse hotel in Lovendegem. Het leven was hen welgezind tot Norbert met z'n Kawasaki tegen een elektriciteitspaal reed en zelden had een inwoner van Lovendegem zo'n deuk in z'n helm gehad. Drie keer per maand gaat Tineke Norbert trouw bezoeken op de coma-afdeling van ziekenhuis Maria Middelares, en verder leidt ze haar eigen, vrij onbezorgde bestaan.

Ik deed m'n 501 uit, trok m'n Gericke-motorbroek aan, alsmede m'n Gericke-motorjas, m'n Gericke-motorlaarzen en m'n Gericke-motorhandschoenen, zette m'n Roof-helm op m'n kop, startte in m'n garage de Buell en even later flitste ik naar Lovendegem. Geen enkele boom of paal stond in de weg en ongeschonden kwam ik aan in Het scheve torentje. Onderweg was me wel te binnen geschoten dat ik vergeten was bij Sonja te checken of ze voldeed aan m'n criteria. Weet je wat: voor één keer kunnen die criteria de pot op.

In de bar kuste ik Tineke hartelijk op beide wangen. 'Wat kom jij hier doen, lieverd?' vroeg ze. 'Een meisje vingeren in het toilet,' zei ik. 'Mmm,' zei Tineke, en een warme blos trok over haar wangen. 'Welk meisje?' vroeg ze. Net op dat moment kwam een boomlange griet de bar binnen. Ze kwam onmiddellijk op me af, en stelde zich voor als Sonja. 'Hoe lang ben jij?' vroeg ik. '1 meter 94,' zei ze. 'Dat is prima,' zei ik. Tineke keek op naar Sonja en zei: 'Ik ben jaloers op jou, ik ben maar 1 meter 51.' Sonja begon te blozen. Voor het te klef zou worden, zei ik tegen haar: 'Zullen we dan maar?' 'Wacht 'ns, wacht 'ns...' zei Tineke. 'In het toilet kunnen jullie het later nog altijd doen. Zouden we het niet gezelliger maken en naar m'n slaapkamer gaan?' Sonja leek even te twijfelen, de stomme teef, maar ik zei meteen: 'Ja, oké.' Tineke gaf opdracht aan haar barman, Theo, om de zaak in de gaten te houden en ze liep mij en Sonja voor naar de eerste verdieping.

Even later zat Sonja schrijlings op mij en vingerde ik haar terwijl Tineke de kont van Sonja uitlebberde. Sonja kneep in haar eigen tieten en huilde als een wolvin toen ze klaarkwam. Terwijl ik haar befte, viel me op dat haar schaamlippen er ongeschonden uitzagen. Jochei!

En zo gingen we maar door en door, ik ga me niet verliezen in detailbeschrijvingen. Wie uitgebreider verslagen wil van dergelijke sekspartijen, die moet *De kus in de nacht* maar lezen. Nadat zowel Tineke als Sonja een orgasme van me ingeslikt had hielden we ermee op. We kleedden ons weer aan, en gingen naar beneden. Sonja fluisterde iets in m'n oor. Vooruit dan maar. We liepen naar het toilet waar ik haar nog een keer vingerde. Dan was het welletjes. Ik nam afscheid van de dames, en reed naar huis.

Ik bereidde een kopje thee, rookte een sigaretje en ik vroeg me af: voel ik me minder depressief dan tevoren? Dat was geen eenvoudige vraag om te beantwoorden. Confucius zei ooit: 'Hoe je je voelt, is van geen belang, zolang het niet zo aanvoelt.' Dus ja, ik voelde me beter. Maar nog niet goed genoeg. Dat kwam pas toen ik naar het mobieltje van m'n vrouw in Melbourne belde en een zodanig leuk gesprek met haar had dat ik daarna juichend door m'n woonkamer danste. Al zeventien zandstraalmachines had ze verkocht! Wat een fantastische vrouw! O, wat hoop ik dat ze snel terug is en dat we dan ons vertrouwd, vreugdevol, geïnspireerd, heet, gratis en langdurig potje seks hebben, zodat ik definitief niet meer depressief zou zijn. Confucius zei ooit: 'Alles staat en valt met definitie.'

Dat kan kloppen, want we zijn nu anderhalve week later, en terwijl m'n vrouw haar lippen aflikt, zit ik hier volkomen in evenwicht en vrolijk als geen ander mijn 501 dicht te knopen. Op de achtergrond verwijdert een meisje zich uit de kamer. Doch daarover meer in *De kus in de nacht*, de geilste roman ooit door iemand van het mensenras geschreven.

Stella van de administratie

THOMAS ROSENBOOM

Het was een kantoor als alle andere aan de gracht, maar niet voor Mans Pander; hij werkte nu op een uitgeverij. Het was zijn eerste dag, alles wás ook voor het eerst vandaag: dat hij bureauredacteur was, dat hij met potlood een vraagteken in een manuscript zette, dat de illustere redacteuren Ris Rippen en Arnaud van Hinsbergen langs zijn deur liepen en dat hij koffie dronk in zijn kamertje ter grootte van een krant – voor het eerst ook schoot hem zomaar een dichtregel te binnen, en even later moest hij voor het eerst naar de wc. Zijn kamer was boven, iemand verwees hem naar de kelder. Er waren veel trappen, en op elke overloop stonden de deuren open. Directeur Zeebuit zat niet in zijn kamer, maar al kwam hij die pas morgen of volgende week een keer tegen, wanneer dan ook, het zou toch weer voor het eerst zijn! Hij passeerde de verkoop op de eerste verdieping, de administratie op de begane grond en ging de laatste trap af, het hoofd vol lichternis nog van al het nieuwe en alle glans. Ook in de ondergrondse diepte bij de wc's glansde alles met de allure van een uitgeverij, het marmer op de vloer, het gelid van oude paneeldeuren en de koperen klinken, maar toch was het anders hier, koeler en stil, een kelder toch. Zuchtend in hervonden kalmte opende Pander een deur, hij stapte een immens, groen betegeld toilet binnen – en viel weer een nieuwe diepte in, nog verder omlaag; hij viel in de diepte van een ander.

Voor de spiegel aan de zijwand stond een vrouw, onbeweeglijk, met de rug naar hem toe. Ze scheen hem in het geheel niet op te merken, stootte hem zo eerst terug, maar zoog hem daarna juist binnen, in diezelfde eenzelvigheid die zijn aandrang wegnam, iedere beweging vertraagde, en elk geluid dempte. Hij wilde nog groeten, doen alsof hij bij een collega op de kamer was binnengestapt, maar dat ging niet meer: de roerloze vrouw verspreidde een stilte die, voor zijn stem, voor zijn aanwezigheid, ondoordringbaar was, maar waaruit hij zich ook niet meer kon losmaken. Heel langzaam draaide hij zich naar haar toe, tot hij zag wat zij zag en een nieuwe kalmte over hem neerdaalde, anders en dieper dan die van hemzelf – maar dit was ook een andere ruimte, hier werd niet gewerkt, alleen maar gekeken.

Verzonken in eigen lichamelijkheid keek de vrouw naar zichzelf in de spiegel. Ze had haar truitje en bh opgestroopt en hield haar beide borsten op de handen. Pander, schuin achter haar, zag het van voren, hij keek ook in de spiegel, terwijl de stilte zich nog verdiepte, de vrouw hem nog aldoor niet scheen op te merken, en er niets meer bewoog – het was alsof hij naar een schilderij keek, bedwelmd; steeds dieper drong hij erin door, zichzelf verliezend, tot het hem opnam en hij onderdeel was geworden van een nieuw geheel: zoals hij vlak bij de vrouw stond en zij samen naar haar borsten keken, zo innig en vertrouwd, ze leken wel een echtpaar met baby, een *Sacra Famiglia* van Bellini, de borsten het kind – het licht werd steeds groener, de lucht steeds zwaarder, het was of zij onder water waren.

Eindelijk dan bewoog de vrouw, en tegelijk zag Pander haar niet meer daar aan de andere kant, maar weer vlak voor zich, van achteren. Zonder hem zelfs nog maar in de spiegel te hebben aangekeken keerde zij zich naar hem om, de haren op haar rug draaiden weg, en het volgende moment kwamen haar borsten te zien, oneindig dichtbij nu, in dezelfde ruimte, zacht en wit als zuivel, en nog altijd droeg zij ze op de handen, als een geschenk. In zoete verdoving nam Pander ze over, hij vermengde zijn vingers met de hare, begon ijl en zwemend te glimlachen, en voelde verzaligd door – tot de vrouw eindelijk dan haar blik naar hem opsloeg en hij haar voor het eerst, maar vol onthutsende herkenning, recht in de betraande ogen keek: het was Stella Overzij, van de middelbare school.

De ban brak op slag, maar nu verstijfde Pander weer op een andere manier, in overtreding. Zijn lach verstarde tot een grimas, hij kreeg zijn mond niet meer dicht en zijn handen bleven maar aan de borsten kleven. Heel even huiverde hij van kou, toen sloeg het vuur hem uit: zijn hoofd was een gloeiend retort geworden waarin alle sereniteit schiftte tot schande en schaamte, en met de schelle tegenwoordigheid keerde ook het verleden suizend in hem terug.

Ze zat indertijd een klas onder hem, en ging om met de jongens uit de klas boven hem – gaf zich met hen af, zo noemde hij dat toen, het was de tijd dat hij zijn taal begon te stileren – de leerjaren van zijn redacteurschap in feite! Maar al had Stella zijn klas dan overgeslagen, haar diploma had ze er niet sneller door behaald, integendeel: een paar maanden voor het eindexamen was ze van school verdwenen, en sindsdien had hij haar nooit meer gezien – opeens laaide de hoop in hem op dat zij hem van haar kant helemaal niet herkende; het was al zo lang geleden, misschien zelfs had zij zijn naam ook wel nooit gekend.

‘Mans...?’ klonk het nu, vragend en verstikt. ‘Mans Pander... toch?’

Ternauwernood bedwong Pander een wilde giechel, hij keek haar nog steeds recht aan en nu pas drong tot hem door dat zij gehuild had. Haar tranen brachten de innigheid echter niet terug maar werkten juist in de omgekeerde richting, als glazen deuren die hem voorgoed buiten sloten, en op de zweepslag van een nieuw begrip joeg een nieuwe giechel door hem heen: zij had haar borsten niet aan hem, maar in gedachten aan heel iemand anders aangeboden, iemand van nog weer een hogere klasse, zo hoog, dat hij ze tot haar grote verdriet versmaad had.

‘Nee maar... Stella Overzij!’ stiet hij met overslaande stem uit, vol leven ineens, terwijl hij eindelijk de borsten wist los te laten. Met wijd opengesperde ogen staarde hij een ogenblik naar zijn schuldige handen, toen begon hij ze af te vegen aan zijn broek, alsof hij Stella een hand wilde gaan geven. ‘Wat een toeval! Werk jij ook... op de uitgeverij?’

Ze had haar ogen alweer neergeslagen en knikte. ‘Op de administratie...’

‘Ach... op de administratie!’ Pander liet het woord als een aspirinepil op zich inwerken en begon ook te knikken, van boven naar beneden, van de redactie naar de administratie, precies zoals hij hier als bureauredacteur stond te praten met Stella van de administratie – ja, zo zou hij haar voortaan noemen, Stella van de administratie – en zolang hij maar bleef knikken kon er niets anders meer gebeuren, maar opeens had hij er de kracht niet meer voor, het was ook afgelopen nu: op de trap klonken stemmen, ergens rinkelde een telefoon.

Vanaf de eerste dag op de uitgeverij was alles anders geworden voor Pander, hij was zelf ook veranderd – maar hoe zou dat ook niet, met redacteuren om zich heen als Ris Rippen en Arnoud van Hinsbergen, en altijd de onverstoorbare directeur Zeebuit op de achtergrond? Hij wist nu hoe het klonk als zulke mannen, pratend met elkaar of met een auteur, langs zijn open deur liepen, hij zette zijn vraagtekens met steeds meer flair in de manuscripten, en ontwikkelde allengs een voorkeur voor doorhalingen en uitroeptekens, en op den duur zelfs ook voor commentaar in de kantlijn. Soms, als hij zich voorstelde hoe Rippen of Van Hinsbergen de auteurs confronteerden met zijn opmerkingen alsof het de hunne waren, en er bijval voor vonden, met tekstwijziging tot gevolg, dan voelde hij zich zo hoog opgetild in zijn nieuwe beroep dat het hem duizelde, en hij zijn vorige baan van assistent-onderzoeker aan de faculteit kunstgeschiedenis nauwelijks nog kon onderscheiden in de mistige diepte achter hem. Zijn dissertatie was nooit afgekomen, als een slak had hij het slijmspoor van zijn onderzoek getrokken, en zelfs toen hij eens een week in het instituut van Florence logeerde, waar ook de alleroudste hoogleraren 's nachts langs de balkons klommen, had hij nog geen romance beleefd – onvoorstelbaar hoeveel daadkracht en levenslust hij nu al herwonnen had, terwijl hij nog maar vier maanden op de uitgeverij werkte, en zich nog iedere dag verder ontwikkelde! Stella Overzij had hij sedert die eerste keer overigens niet meer gezien; navraag op de administratie leerde dat zij vijf maanden onbetaald verlof had genomen, voor een reis.

Maar niet alleen binnen de uitgeverij ontwikkelde Pander zich metterdag, ook de vrijdagse borrels met Ris

Rippen en Arnoud van Hinsbergen waren voor hem uiterst leerzaam. Heel vertrouwelijk noemde hij de redacteuren bij de voornaam, en nog vertrouwelijker – 'Zeg, Pánder, drinken we nog wat?' – noemden zij hem bij de achternaam.

Het was vrijdagmiddag kwart over vijf. Het café begon al redelijk vol te lopen, maar Pander zat nog alleen aan het tafeltje voor het raam. Juist wilde hij voor zichzelf bestellen of hij zag Van Hinsbergen aan komen lopen, zwierig met de jas open. Hij stak twee vingers op naar de bediening en op hetzelfde moment dat de glazen werden gebracht nam de redacteur massief plaats op de stoel tegenover hem. Het café rondkijkend zag hij dat Rippen er nog niet was – maar Pander zag hem al aankomen, met haastige pas, een tas onder de arm, en niet van de uitgeverij maar uit tegenovergestelde richting. Op hetzelfde moment weer dat het door Pander bijbestelde bier werd gebracht stapte hij binnen, hij ging hijgend aan het tafeltje zitten – ze klonken, keken even naar de deur, waar het vrijdagspubliek nu in dichte drom door naar binnen kwam, toen boog Rippen zich voor weer een mededeling naar voren; Pander boog zich ook over de tafel, zo diep dat hij er in het geroezemoes geen woord van miste. Het ging over het grote personeelsfeest van volgende maand; vanachter de hand onthulde Rippen de locatie.

'We hebben de marmeren zaal van het Tropenmuseum...' glunderde hij. 'Ik werk nu verder aan het programma, we denken aan een Valentijnachtige sfeer, speciale buttons voor de vrijgezellen, dat soort dingen...'

'Een buitenkans, Pander,' zei Van Hinsbergen, 'of

neem je je verkering mee?' Rippen grijnsde. 'Nee, onze Pander heeft vast geen vriendin, het is meer het type voor verschillende vriendinnetjes...'

Gezien zijn ontwikkeling op de uitgeverij was Pander het wel met hem eens, al had hij er nog geen. Veelbetekenend lachte hij mee, vuriger doorstraald nog nu Rippen hem recht aankeek.

'We gaan iets nieuws proberen...' vertrouwde hij Pander nog toe. 'Karaoke...'

Rippen bij de karaokemachine. Hij had de microfoon in de hand, gebaarde dat de disco moest stoppen en verklaarde toen met luider stem dat de karaoke ging beginnen. Aan de zijkant stond al een vijftal identiek geklede jongedames gereed; Rippen kondigde ze aan als de Dolly Dots van *Sportweek Magazine* en noemde ook het nummer dat ze gingen doen. Het optreden oogstte een wild applaus en gejoel, een andere groep werd aangekondigd en terwijl men steeds uitbundiger meedansend en meezingend keek naar wie er optraden ging het zo maar verder, tot alle aangemelde groepen geweest waren en Rippen de microfoon niet meer uit handen hoefde te geven: nu was hij de enige die nog optrad. Vol overgave bracht hij de ene zomerhit na de andere, en opgezweept door zijn bekendheid danste men niet meer op de artiesten die hij nadeed maar op Rippen zelf, die steeds roder aanliep, van het zingen of van de drank – afwisselend zette hij zijn mond aan de microfoon in zijn ene hand en aan de fles wijn in zijn andere hand.

Toen er niemand meer om een brief kwam schaamde Pander zich ineens voor zijn uitdossing – wat een geluk dat Stella Overzij er niet was, al kon zij natuurlijk nog komen, vrouwen zoals zij hadden eerst een ander feest. Hij zette zijn pet af en deed het jasje uit. Later had hij zijn stoel naar de balustrade geschoven en leunde hij met de ellebogen op de rand. Roerloos bleef hij maar naar de deur staren, waardoor niemand meer naar binnen kwam. Toen de eerste paren het feest begonnen te verlaten daalde er een ondraaglijke zwaarte over hem neer; zijn hoofd zakte omlaag tot op de balustrade.

'Mans!' Iemand trok aan zijn schouder. Hij schrok op, keek ogenblikkelijk weer naar de uitgang – en verschoot: tussen de vertrekkende mensen stond Stella. Ze had haar jas al aan, en zag hem nu ook. In onwezenlijke vertraging zwaaide ze naar hem, nauwelijks merkbaar, maar het leek wel of ze wenkte, van heel dichtbij, terwijl alle geluid verstomde en er verder niemand meer was – heel even waren ze weer samen, net als die keer op de wc – toen wendde ze zich af en vervloeide ze in de drom naar buiten.

'Mans! Nu werd er aan zijn andere schouder getrokken, maar het drong niet tot hem door. Wezenloos tekken, maar het drong niet tot hem door. Wezenloos rugzwaaiend was hij overeind gekomen, hij wilde naar voren, naar het auratische nabeeld van Stella, bij de deur, maar dat kon niet, hij moest omlopen... Toen hij weer voor zich kon kijken zag hij dat Stella verdwenen was.

Hij had maar één lamp aangedaan. Zijn ogen begonnen te branden, zijn brillenglazen besloegen, zijn gezicht vertrok en zakte langzaam in zijn handen – Pander huilde, geluidloos nog, maar reeds zoog hij zich vol voor de eerste uithaal. Op dat moment rinkelde de telefoon, onthutsend hard in de stilte van de nacht. Ogenblikkezalijk stond hij op, vol energie, en volkomen nuchter, zakelijk zelfs nam hij de hoorn van de haak.

'Met Pander?'

Iemand zuchtte, slikte, toen klonk een vrouwenstem: 'Mans... Met Stella... Stella Overzij...'

Een overdonderende gloed stroomde door hem heen, maar om de een of andere reden dwong hij zich tot afstandelijkheid en antwoordde hij pas na een bestudeerde pauze.

'Stella... Hallo...!'

'Ik... Stoor ik?'

'Nee hoor.'

Hij klonk ronduit routineus nu, bijna opgewekt. Heen en weer zwaaiend op zijn benen hield hij de adem in, wachtend, opzwellend als een ballon die nu ieder ogenblik kon opstijgen.

'Mans, ik... maar misschien... nu ja: wat ik vragen wou... Zou je ervoor voelen nog iets te komen drinken?'

Zo verstikt en verbrokkeld de uitnodiging, zo langzaam drong die in volle omvang tot hem door; hij liet een nog langere pauze vallen vooraleer hij overtuigd was van zijn juiste begrip.

'Uitstekend... leuk.'

Hij noteerde een adres, hing op – en wist niet meer hoe hij het had. Een massaal gejuich steeg in hem op, een zinderende haast werd over hem vaardig... maar hij had nog niets gedronken, hij moest eerst wat drinken. Stella zou zich doodlachen als ze merkte dat hij de hele avond niets had kunnen drinken! Hij holde naar de keuken, schonk in uit de nog bijna volle whiskyfles, maar nog voor de eerste slok dacht hij opeens aan iets anders, stormde zijn badkamer in – en ging uitvoerig zijn tanden poetsen, daarna zich scheren, de kin kantig vooruit terwijl hij vanuit zijn ooghoeken in de spiegel keek, meeneuriënd met de zingezang van het scheerapparaat.

Het was een andere Mans Pander die even later terug in de woonkamer kwam, uiterst kalm nu, zonder enige haast meer – hij had alle tijd! Hij hoefde niet op het eerste commando zijn huis uit te vliegen? Maar toen kreeg de haast toch de overhand. Hij greep zijn jas en de fles, knipte het licht uit en stommelde duizelig van opwinding door het pikdonkere huis naar buiten. Nog nooit had een vrouw hem zo laat opgebeld – maar dit was ook geen gewone vrouw, dit was een vrouw die hem haar borsten had laten zien, en daarna aanraken, tot ze gestoord werden door mensen op de trap...

Met zijn jas open flaneerde hij vederlicht door de verlaten straten, voortdurend gekieteld door alle vragen die als vlinders door zijn hoofd fladderden: waarom had hij Stella niet eerder op het feest gezien? Had zij de hele avond recht beneden hem onder de omloop gezeten, of was zij inderdaad pas op het allerlaatst van een ander feest gekomen? Maar waarom dan? Speciaal voor hem? Soms, om uit te rusten, streken de vlinders even neer op een heerlijke bloem; dat was het donzen, alles dempende antwoord waar hij telkens op uitkwam: het deed er niet meer toe – Stella was terug, en ze had hem gebeld...

Af en toe nam hij onder een straatlantaarn een slok whisky, dan ging het weer verder, lichtvoetiger nog, tot hij de straat van Stella inliep en voor haar deur bleef stilstaan. Hij kende deze straat wel, maar nu hij wist dat zij hier woonde was het een andere straat geworden. Hij drukte op de bel; de deur werd open getrokken; hij klom de trappen op en zag toen het silhouet van Stella in de verlichte deuropening bovenaan.

'Mans...'

'Stella...!'

Ze droeg een lang, zwart vest en een zwarte maillot

met blauwe sokken. Zonder kus, handdruk of zelfs maar blikwisseling ging ze hem geruisloos voor de stille woonkamer in. Pander zag een reusachtige, antieke kuifkast, en voorsta een zithoek bestaande uit een salontafel met aan de ene kant een bank en aan de andere kant een oude fauteuil. Op de salontafel stonden een fles wijn en een wijnglas. Stella zette er een glas bij en ging op de bank zitten; Pander aarzelde even, gooide toen zijn jas over de fauteuil en ging naast haar zitten.

Uitnodigend wees hij naar de whiskyfles die hij al op de salontafel had gezet. Stella schudde glimlachend het hoofd; hij schonk voor zichzelf in en liet zich uiterlijk onbewogen achterover tegen de rugleuning zakken, maar in zijn keel begon woest zijn hart te stuiteren: hij zat naast de vrouw die hem de vorige keer haar borsten had laten zien, en aanraken, heel lang, tot ze gestoord werden door stemmen op de trap...

'Als je straks nog wil...?' vroeg hij, wijzend weer naar de whiskyfles. 'Ik heb het ook voor jou meegenomen, word je lekker warm van..!' Maar opnieuw schudde Stella het hoofd, hij zag het van opzij, zag haar heel de tijd alleen maar van opzij, hij had haar nog niet eenmaal recht kunnen aankijken – had hij misschien toch op de stoel tegenover haar moeten gaan zitten? Of werd het tijd de mogelijkheden van de bank te benutten die de stoel weer niet had?

Argeloos wegkijkend, naar zijn jas tegenover zich, naar de kierende deur van de kuifkast schoof hij zijn arm over de rugleuning achter Stella langs, maar tegelijk week zij al naar voren uit en drukte een kussentje tegen haar buik. Zonder haar te hebben aangeraakt trok hij zijn arm terug. Hij was te vroeg geweest! Eerst praten!

Zwijgend zaten ze naast elkaar. Het ging de verkeerde kant op, onherroepelijker naarmate de stilte langer zou duren. Koortsachtig zon Pander op een nieuw onderwerp – maar wat kon hij zeggen? En waarom deed Stella geen enkele moeite het gesprek gaande te houden of anderszins iets aan de stemming bij te dragen? Met toenemende verbittering constateerde hij dat er nergens een kaars brandde. dat er geen achtergrondmuziek was opgezet, dat hij geen ijsklontjes voor zijn whisky had gekregen, en dat Stella bij zijn binnenkomst niet eens zijn jas had aangenomen... Wat wilde ze eigenlijk?

Een nieuwe slok whisky verhitte zijn hart, hij boog zich voorover, keek Stella nu stralend en recht van voren aan, maar weer meed ze zijn blik, ze draaide niet alleen haar ogen maar nu ook haar hele hoofd af.

Stella lag volkomen afgewend om het kussentje tegen haar buik gekruld, en pas toen hij haar zag schokken begreep hij dat ze geluidloos huilde. Hij had het helemaal verkeerd gedaan, zeker, maar er moest ook nog iets heel anders aan de hand zijn – misschien was ze op weg naar huis wel lastiggevallen, en had ze hem daarom gebeld, de laatste die ze vanavond nog had aangekeken... voor troost!

'Rustig maar... rustig maar,' zei hij terwijl hij naast haar ging zitten en haar bij de schouders pakte, volkomen vanzelfsprekend nu – maar nu was het ook alleen maar om te troosten. 'Het is goed... het is voorbij... Huil maar, je hoeft niets te zeggen, ik begrijp het wel... Ben je lastiggevallen, vanavond, op weg naar huis? En heb je daarom mij opgebeld... voor troost... omdat ik je de vorige keer ook heb vastgehouden?'

Langzaam hield het schokken op. Stella bewoog enkel nog omdat hij haar wiegde, hij wiegde zelf mee, van achteren tegen haar aan, terwijl hij maar geluidjes bleef maken, het hoofd omlaag liet zakken en de bedwelmende geur uit haar haren opsnoof. Heel de nacht wilde hij zo wel doorwiegen, maar allengs voelde hij de kracht in Stella terugkeren. Ze rechtte haar rug, haalde haar neus op, en schudde opnieuw het hoofd, zo gedecideerd dat Pander haar schouders prompt losliet.

'Nee, Mans,' zei ze eindelijk, zich half naar hem toe draaiend, 'ik heb je voor iets anders gebeld...'

Ze stond op, liep een paar passen van hem vandaan en begon toen, ruggelings naar hem toegekeerd, maar onmiskenbaar toch, terwijl ze heen en weer deinde op een muziek die zij alleen hoorde, de knopen van haar vest te openen, het hoofd voorovergebogen om te zien wat haar sprongsgewijs afdalende handen deden.

Verdoofd onderging Pander de ommekeer. Zo razendsnel als hij buitenspel was gezet, zo snel ook was hij verheven tot degene voor wie het spel werd opgevoerd, een spel dat hij nog niet kende maar waarvan het raffinement hem nu al deed huiveren. Hij liet zich tegen de rugleuning zakken, zette zijn voeten verder uit elkaar en bracht een geamuseerde, tevens uitdagende grijns op zijn gezicht, de grijns van iemand die weet wat er gaat gebeuren; Stella wist dus toch nog waar ze gebleven waren, de vorige keer, toen ze hem enz. enz., tot ze gestoord werden door stemmen op de trap... En net als toen deed ze ook nu weer alsof ze geheel in zichzelf verzonken was; heen en weer deinend ging ze maar door, haar haren golfden mee als wier onder water, tot ze haar handen in de zij zette, het vest opeens in ruimere plooien over haar rug viel, en zij zich langzaam begon om te draaien in de dikke stilte.

Slikkend zag Pander haar komen. Ze droeg geen bh,

haar borsten vielen onwezenlijk blank en blind uit de panden van het wijdopen vest, het was van een ongerijmdheid die hem begoochelde; zonder zoenen of zelfs maar praten was het tot hier gekomen, nu kwam het erop aan om mee te bewegen, om zelf ongerijmd te doen en Stella niet alleen te laten in het spel. Met een uiterste krachtsinspanning trok hij zijn mondhoeken nog verder omlaag, toen stond hij op, volkomen willoos, maar vol goede wil toch, om te helpen, de verlegenheid bij de ander weg te halen, en om de borsten weer aan te nemen...

'En maandag weer aan de slag?' vroeg hij schor, terwijl hij zijn handen uitstrekte. 'Of liever nog maar even niet over het werk...'

Stella bewoog niet toen haar borsten werden vastgepakt, sloeg slechts haar ogen af.

'Je reis dan! Vijf maanden onbetaald verlof... Waar ben je geweest?'

Bedwelmd van genot om zijn eigen roekeloosheid in het spel keek hij omlaag, zag hij de boezem als boter tussen zijn vingers opwellen toen Stella ademhaalde.

'In het ziekenhuis,' fluisterde zij.

Alles liep in elkaar over, ook dit laatste woord, het witste van alle woorden vervloeide weer in de witheid van het vlees.

'In het ziekenhuis,' herhaalde hij verzaligd.

'Het was een ziekteverlof.'

'Ja, ja... en toen... toen wilde je je borsten weer laten zien... net als de vorige keer... die prachtige borsten...'

'Het zijn andere borsten...'

Pas toen Pander de tranen op Stella's wangen zag herinnerde hij zich haar laatste zin, begon hij te begrijpen wat die betekende en voelde hij zich wegzakken in een zee van zuivel zonder nog te kunnen zwemmen – maar hij moest zijn handen ook vrij maken, en bewegen...!

'Zie je dan geen verschil, Mans?' vroeg Stella, iets luider nu, met verkreukelde stem. Haar voorhoofd verkreukelde ook, en terwijl de tranen haar nu voluit over de wangen vlotten sloeg zij voor het eerst de ogen naar hem op, huilend en lachend tegelijk.

Op dat moment kreeg Pander eindelijk zijn handen open. Even stond hij nog verstijfd in ontsteltenis, toen deinsde hij achteruit, griste zijn jas van de stoel en stommelde de trappen af.

Droomspelonk

JOOST ZWAGERMAN

Nooit heb ik harder moeten werken dan in het najaar van 1997, toen ik voor het eerst van mijn leven – en naar ik hoop ook voor het laatst – vijf mensen in dienst had genomen. A. en ik woonden met onze zoon Thijs in een bovenhuis zonder balkon. Je moest vier steile trappen op om onze bovenwoning te bereiken. A. was zwanger van ons tweede kind en had via via gehoord dat er om de hoek waar we woonden een benedenwoning vrijkwam. Geen huur, koop. We zochten contact met een makelaar die ons was getipt door vrienden die dankzij hem een huis hadden gevonden. Anthonie Farijn heette de makelaar, en het was een dikke man met zwart krullend haar en een arendsblik. Heel in de verte leek hij wel wat op Norm, uit 'Cheers'. Zo noemden A. en ik hem ook onder elkaar, na hem te hebben ontmoet.

Bij het horen van het adres verscheen er een twinkeling in de arendsblik van Norm en verklaarde hij dat de woning een buitenkans was. Binnen een halfuur voerde hij ons in in de mores van de 'krappe woningmarkt' in Amsterdam. Norm vertelde ons griezelige verhalen over hysterisch tegen elkaar opbiedende aspirant-kopers die nog vóór een eerste bezichtiging rollend met elkaar over straat gingen. Vind in zo'n klimaat maar eens een huis in de Randstad. En dan wij. Wij waren geluksvogels – dat wil zeggen: volgens Norm. We hadden een kans om een benedenhuis in Amsterdam-Zuid te bezichtigen vóórdat het officieel 'in de verkoop ging'... Deze buitenkans stemde Norm lyrisch. Hij maakte wilde armgebaren van achter zijn bureau, en zijn omvang ten spijt steeg hij van enthousiasme bijna op.

'Ik had het blind gekocht,' zei hij, 'zeker voor die prijs.'

Voor die prijs? Wij vonden de vraagprijs huiveringwekkend hoog.

'Meen je dat nou?' vroeg Norm, en hij schrok zelf een beetje van zijn oprechte verbazing. Snel begon hij een nieuw verhaal, deze keer over een ongetwijfeld apocalyptisch aantal kandidaten en biedingen zodra deze 'prachtstek' in de officiële verkoop kwam. Halverwege zijn verdere betoog kwam er een misverstand aan het licht: Norm had een verkeerde vraagprijs voor het benedenhuis in zijn hoofd. Zijn getal lag een ton beneden de feitelijke vraagprijs. Toen wij hem hierop wezen, viel Norm midden in zijn apocalyptisch aanzwellende verhaal over bloeddorstige kopers even stil en werd hij ondanks zijn dikte en arendsblik ineens een jongen van veertien die gewezen wordt op een vieze neus of een open gulp. Norm herstelde zich door zijn kantoorstoel snel een stukje van zijn bureautafel te rollen en één been op het tafelblad te plaatsen. Wij kregen zicht op een smetteloze schoenzool. Om de een of andere reden vergrootte die zool mijn vertrouwen in Norm; een makelaar met vieze schoenen, dat kon niet veel zijn. Maar die van Norm was kraakhelder, en dat wees mogelijk ook op geestelijke hygiëne en een smetteloze moraal.

'Hoe kom ik nou aan die te lage prijs?' mompelde Norm voor zich uit. 'Verkeerd onthouden zeker. Maar goed, met die ton meer is het nóg een scherpe prijsstelling, hoor. Want vergeet niet, er zit geen erfpacht op het pand, wat heel bijzonder is voor deze buurt, en verder heb je natuurlijk een tuin hè, vergeet dat niet.' Hij bedoelde de binnenplaats waar we die ochtend vroeg, staand voor het pand, via de voorruit een flauw zicht op hadden gehad.

'Goed, goed, binnenplaats,' zei Norm. 'Maar op deze overspannen markt rekenen verkopers toch algauw een ton extra voor zo'n binnenplaats met mogelijkheden tot tuinaanleg. Zal ik Bijlsma gewoon bellen voor een bezichtigingsafspraak?' Bijlsma was de verkopende makelaar. Wij aarzelden. Wilden wij eigenlijk wel kopen? Was kopen wel voor ons soort mensen? Behoorden wij niet tot het slag van eeuwige achter-het-netvissers, tot degenen die mild en subtiel werden uitgebuit, tot de propere betalers van rekeningen, tot de witrijders, glasbakgebruikers en tamplassers – kortom: tot het slag dat altijd en eeuwig zou blijven huren? Nee! Onafhankelijk van elkaar kwamen wij in verzet tegen dit odium van sukkeligheid. Wij wierpen een juk van ons af. Wij zouden gaan kopen.

'Ik zou zeggen, bel die meneer Bijlsma maar,' hoorde ik mezelf zeggen, en ik betreurde het dat er niet wat meer triomf in doorklonk.

'Mooi,' antwoordde Norm, en hij greep meteen zijn gsm. 'Dan kan ik meteen even informeren naar de staat van onderhoud binnen. Het pand is van... even kijken, 1912, dus laten we hopen op authentieke details.'

Van de verkopende makelaar Bijlsma kregen we een dag later via de telefoon te horen dat de huidige eigenaars het heel prettig vonden dat er buurtgenoten waren die belangstelling hadden voor de woning. We zouden inderdaad de eerste bezichtigers zijn. Verder vertelde deze Bijlsma dat er inpandig een klein aantal houten panelen in de kamer en suite was geplaatst, zodat de 'authentieke details' enigszins aan het oog onttrokken waren. Maar dat was niets om ons zorgen over te maken. Een kleine ingreep door een aannemer was voldoende. Het belangrijkste was dat ze er nog waren, die authentieke details, verzekerde meneer Bijlsma ons.

Intussen had Norm ook het een en ander aan informatie gekregen over de woning. De vorige bewoner was de architect Van Rhoon geweest die onder meer de Amsterdamse metrostations had ontworpen. Sinds zijn dood hadden zijn twee volwassen kinderen op de twee bovenste verdiepingen gewoond. Het benedenhuis had al die tijd leeggestaan. 'Goed zo,' zei Norm. 'Dat betekent dat we niet door andermans interieur hoeven heen te kijken. Je krijgt het huis te zien zoals het is.'

Dat was ook zo. We zagen het huis zoals huizen kennelijk zijn als erop los is getimmerd met een ijver die op mij zowel een manische als deprimerende indruk maakte. Norm bespeurde mijn eerste afweer toen we in de lege woonkamer stonden.

'Kijk erdoorheen,' zei hij.

'Waar doorheen?' vroeg ik mat. 'Er is toch niks om doorheen te kijken? Het is leeg, het is kaal.'

'Precies,' zei Norm. 'Je ziet het huis in desolate toestand. Daar moet je doorheen kijken. We zijn gebaat bij een expertise van een aannemer.'

A. en ik keken nog eens om ons heen. Het handvol houten panelen, waarover makelaar Bijlsma had gesproken, was in werkelijkheid een zondvloed van naargeestige betimmeringen die het huis hadden getransformeerd in een vaalwitte wachtruimte die associaties met het voormalig Oostblok opriep. Wijlen de heer Van Rhoon was kennelijk zo gecharmeerd geweest van zijn ontwerp voor de Amsterdamse metro dat hij zijn eigen woning ook maar meteen in een desolaat metrostation had veranderd. Het is dat er inmiddels tourniquets in de werkelijke metrostations zijn aangebracht, anders was de onherkenbaar verminkte kamer en suite een schaalmodel van halte Wibautstraat. We hadden het al gezien. Maar beleefdheidshalve liepen we de hele woning door. Makelaar Bijlsma was goedgemutst. Hij tikte telkens met zijn knokkels tegen de houten beplating en zei: 'Hoort u wel? Hol. De platen zijn als loszittende elementen in de woning aangebracht, zonder aantasting van de authentieke details die zich erachter bevinden. Als bijvoorbeeld die panelen tegen de deuren zijn weggehaald, komen de oorspronkelijke deurlijsten te voorschijn. En achter die grote platen in de achterkamer zit nog een authentieke schouw.' Bijlsma ging met strelende vingertoppen langs de houten beplatingen en slaakte een melancholieke zucht. 'Ja, na demontage openbaart zich deze woning in alle glorie zoals we die uit begin deze eeuw kennen.'

Het klonk zo liefderijk dat je je afvroeg waarom hij niet zélf een bod uitbracht op het metrostation. Norm luisterde intussen leergierig naar zijn collega. Ook hij roffelde een paar keer op de beplatingen.

'Ja. Hol. Klopt. Probeer maar even.' Dat laatste was tegen mij. Bijlsma knikte bemoedigend naar een grauw stuk hout tegen de achterwand van de naargeestige spelonk die hij zo-even 'de ouderslaapkamer' had genoemd. Ik tikte.

'En? Hol?' vroeg Norm. Voordat ik kon antwoorden, vroeg A. aan hem: 'Is het niet mogelijk om zo'n stuk hardboard te verwijderen? Dan kunnen we precies zien wat eronder vandaan komt.' Bijlsma kwam snel tussenbeide. 'Ik denk dat u dat aan een aannemer moet overlaten, en alleen dan wanneer u daadwerkelijk belangstelling hebt voor dit perceel,' zei hij. 'Als wij nu gaan demonteren en u besluit alsnog dat u geen bod uitbrengt, maakt het geheel op de andere kandidaten een onnodig onttakelde indruk. Maar u kunt het horen. Luister maar.' En daar hief Bijlsma weer zijn makelaarshand om vervolgens het hout te bepotelen. 'Hol?' vroeg hij ons.

'Ja. Hol,' antwoordde Norm meteen. Hij keek erbij alsof we met goed gevolg een expeditie hadden volbracht. Eenmaal weer buiten en na het vertrek van Bijlsma was het alsof de grauwsluier van de benedenwoning zich naar buiten had verspreid. Zelfs het bladerdak van de rij beukenbomen in de straat leek erdoor aangetast. Norm was buiten zinnen van enthousiasme. 'Vergeet niet dat je de eerste bent. Je hoeft tegen geen enkele andere belangstellende op te bieden. En verder moet je natuurlijk, dat zei ik al, door die betimmeringen heen kijken. We rekenen uit hoeveel verbouwingskosten er nog bijkomen, en op basis van die berekeningen kunnen we een messcherp bod uitbrengen.'

'Dan moeten we dus met aannemers en bouwvakkers in zee,' zei A., en ze richtte zich nu tot mij.

'Dat is een risico,' antwoordde ik, en ik probeerde neutraal te klinken. Anderen hadden het met patsers in joggingpakken, ex-Oostblokkers of jungledieren, ik had het met bouwvakkers: dat was de vijand. Intussen besefte ik ineens dat de euforie van Norm oversloeg op A. en dat zij nota bene bezig was zich serieus voor de woning te interesseren. Op mijn beurt liet ik mij de weg wijzen door de plotselinge belangstelling van A. Ikzelf was nu eenmaal niet in staat om door die betimmeringen 'heen te kijken'... Maar A. had, zoals dat heet, een timmermansoog. Haar vader had zijn huis van de grond toe opgebouwd, en zij had hem daarmee geholpen. A. was, kortom, de enige bouwvakster die ik niet als de vijand beschouwde.

'Ik heb, na twintig jaar makelaardij, wel enige connecties opgebouwd,' zei Norm, en hij richtte zich nu uitsluitend tot mij, misschien omdat hij zag dat A. al half overstag dreigde te gaan. 'Ik kan je een uitstekende aannemer aanraden. Robbie Klein Hertog.' Norm zag ons aarzelen. 'Misschien is het een goed idee om een tweede bezichtiging aan te vragen,' zei hij toen. 'Dan nodigen we Robbie Klein Hertog ook uit. Kan hij jullie meteen een voorlopige inschatting geven van de duur en kosten van de werkzaamheden.' Dat klonk redelijk. 'Wat vind jij, Otto?' vroeg A. Op dat moment wist ik dat wij de nieuwe eigenaars zouden worden van het metrostation. Vier dagen na die eerste bezichtiging waren zoon en dochter van wijlen Van Rhoon in het lege pand aanwezig. Het waren beiden blakende dertigers die moesten zijn gepamperd in hun kinderjaren in Amsterdam-Zuid; zij straalden het soort welstand en beschaving uit dat hoort bij mensen die nooit enige beproeving of opoffering hebben gekend. Zowel zoon als dochter had ik natuurlijk wel eens bij ons in de buurt gezien. Maar we hadden elkaar nooit gegroet of hier zelfs ook maar de aanvechting toe gehad. In deze buurt bewaarde men afstand. Een goede buur had je alleen maar als je het je niet kon permitteren om geïsoleerd te leven. Zoon reed een Volvo-stationwagen, wist ik. Dochter droeg pennyloafers, en in de zomer, wanneer bij iedereen de ramen openstonden, hoorde ik wel eens haar lijzige Amsterdam-Zuid-accent vanaf die binnenplaats opstijgen, een tongval die ik altijd ben blijven associëren met flemende kindvrouwtjes en half-perverse gouvernantes. Nu stonden we zichtbaar ongemakkelijk in een halve kring. Zoon lichtte ons voor over het vernieuwde riool waarvan de buizen door de kelder liepen – een detail dat me nou niet bepaald als beslissend voor de verkoop voorkwam. Dochter onderbrak hem met nog wezenlozer feitjes over kranen in de badkamer die je op een bepaalde manier moest open- en dichtdraaien, omdat er ooit te grote leertjes waren aangebracht. Wij, dat wil zeggen, A., Norm en ik, knikten ijverig bij iedere futiliteit, bevreesd als we waren om hen voor het hoofd te stoten. Want in de tussentijd hadden A. en ik werktekeningen gemaakt en onze bankrekening bestudeerd. We konden inderdaad verbouwen. Het metrostation zou veranderen in een lusthof. Met plaats voor niet één maar wel drie kinderen. En waarom zouden we inderdaad niet proberen om door die afzichtelijke beplatingen, verlaagde plafonds en mismaakte deurlijsten heen te kijken? Dochter trippelde naar de deur toen er werd gebeld. Het was Robbie Klein Hertog. Zijn verschijning ontregelde het toch al stroeve gesprek tussen verkopers en kopers. Robbie Klein Hertog was minstens zo dik als Norm en droeg zijn niettemin wijd zittende spijkerbroek zoals het de aannemende bouwvakker betaamt: tot ver beneden het begin van de bilnaad. Zijn haar was vanachter meedogenloos opgeknipt, en midden in zijn brede, kogelronde gezicht bewogen twee felrode, babyachtig uitstulpende lippen waarachter onwerkelijk kleine tanden schuilgingen. 'Goeiemorrege. Klein Hertog.' Zoon en dochter Van Rhoon konden zich met moeite zetten tot een handdruk met de aannemer.

Robbie Klein Hertog keek de woning eens rond, richtte zijn blik toen op mij en vroeg met een grijns die zijn vlezige tronie ineens in een schalks pubergezicht veranderde: 'En dit zijn de toekomstige bewoners?'

Nog voordat ik iets kon antwoorden, sprong Norm in door een vriendschappelijk tikje te geven tegen Robbies imposante buik.

'Robbie is een kei in het maken van premature opmerkingen,' zei Norm, en Robbie ging hier meteen van glunderen, al kon je zien dat hij geen flauw idee had van wat prematuur betekende. Norm deed nog wat pogingen het ijs tussen koper en verkopers te breken, totdat Robbie Klein Hertog ineens een halve pas naar achter deed, zijn armen over elkaar sloeg en op benauwde toon vroeg: 'Ken ik effe van het twalet gebruik make?' Hij zei het in volle ernst, onbewust van het vooroordeel jegens bouwvakkers en aanverwante ambachtslieden dat hij hier in volle glorie stond te bevestigen. Bestonden er immers bouwvakkers die ooit niet effe naar het twalet moesten? Dochter Van Rhoon haastte zich uit te leggen waar zich het toilet bevond – dat wij al bij onze eerste bezichtiging hadden gezien en dat net als de rest van het huis met van die Oostblokplaten was betimmerd. Wij wisten ook dat het huis zó radicaal onbewoond was dat er op het aanrecht in de keuken geen stukje zeep viel te vinden en in de wc geen flinter toiletpapier. Maar Robbies nood bleek hoog; wij hoorden vanuit het achtereind van de gang een verwoed gesnuif opklinken, in regelmatige afwisseling met een grommend kreunen en eindigend met de akoestische plopgeluiden die opklonken vanuit het hart van de pleepot.

'Zullen we anders even alvast de bovenverdieping bekijken?' opperde Norm gehaast, op welk voorstel vooral dochter en zoon Van Rhoon met angstige dankbaarheid reageerden.

In colonne liepen wij de trap op in een gedeelde vlucht van het steeds grimmiger snuiven van Robbie Klein Hertog. Eenmaal boven in de badkamer – niet meer dan een smoezelige spelonk – ging de deurbel. Op datzelfde moment trok Robbie door. Makelaar Bijlsma had weliswaar een eigen sleutel van het pand, maar uit beleefdheid had hij aangebeld. Onder aanvoering van Norm gingen wij weer en groupe naar beneden. Zoon Van Rhoon deed open en schudde Bijlsma de hand. Robbie Klein Hertog was teruggekeerd van het twalet. Aan zijn mopsneus hing een forse druppel waarvan hij het vallen belette met zijn rechterhand die hij direct daarna in één beweging uitstak naar makelaar Bijlsma, met de mededeling: 'Zeg, kenne wij elkaar niet?'

'Sorry, dat dacht ik niet,' zei Bijlsma, op een toon alsof hem een beschamende misstap werd aangewreven. Maar Robbie liet zich niet afschepen.

'Had je niet een winkeltje in De Pijp? Op de Ceintuurbaan?'

Een winkeltje in De Pijp? Je zag de verkopende makelaar denken dat het nu niet doller moest worden. Bovendien was hij er zo te zien niet aan gewend te worden getutoyeerd. 'Ja,' zei Robbie opgetogen. 'Een winkeltje. Elektroartikelen.'

'Ik denk dat je op een schimmig spoor zit, Robbie,' onderbrak Norm hem nu.

'Heb je dan een broer?' vroeg Robbie, Norm straal negerend. 'Een broer in de elektro of zo?'

'Nee,' zei de verkopende makelaar, 'maar wacht eens even. Renoveerde u misschien niet het pand van Dikker en Thijs in de Leidsestraat?'

'Nee, nee, dat wassik niet,' zei Robbie, en in zijn stem klonk acuut spijt door over die gemiste klus.

'Nou, dan was dat misschien wel uw broer die daar werkte,' zei Bijlsma met een lachje. Zoon Van Rhoon begon ongemakkelijk mee te glimlachen.

'Hoe zag die vent er dan uit?' vroeg Robbie geïnteresseerd.

'Nou, zo'n beetje...' over het gebruinde gelaat van de verkopende makelaar trok even een schaduw van niet te onderdrukken weerzin, 'net als u.'

'O ja, ik begrijp het,' zei Robbie direct. 'Dik en onguur.'

Dat brak het ijs, al daalde de stemming direct weer toen Robbie zélf verreweg het hardst moest lachen.

Het gezelschap schuifelde nu van vertrek naar vertrek, waar zoon en dochter Van Rhoon met toenemend enthousiasme uitlegden welke authentieke details er nu precies waar schuilgingen. Vooral dochter leek van deze toelichting over de verborgen schatten van hun ouderlijk huis een *sentimental journey* te maken.

'Mijn vader had natuurlijk enorm respect voor het authentieke houtwerk hier in dit pand,' vertelde ze. 'Daarom heeft hij die betimmeringen als het ware als een koepel in het huis aangebracht, zonder de oorspronkelijke houtdelen, deurlijsten en plafonds te beschadigen. Na demontering komt alles te voorschijn. Wat lijkt me dat spannend! Hier bijvoorbeeld' – ze tikte tegen een vergrauwd stuk hardboard – 'zit dus één van de marmeren schouwen.'

'O ja?' vroeg ik. Haar enthousiasme was zowaar aanstekelijk. 'Welke kleur heeft die schouw?'

Dochter plooide een denkrimpel tussen haar wenkbrauwen.

'Welke kleur waren de schouwen ook weer, Fabrice?' vroeg ze aan haar broer.

Fabrice keek verstrooid op. Met Robbie was hij juist bezig een van die honderden stukken hardboard provisorisch te verwijderen. Het wilde niet lukken. Ik zag het uiteinde van een buitenproportionele bout die half uit de houten plaat stak. 'Eh, beige?' probeerde Fabrice.

'Kan best,' zei zijn zus, die zich nu weer tot A. en mij richtte. 'Vraag anders even aan de bovenburen of je bij hen in de kamer mag kijken. Daar staan dezelfde schouwen.' Ze begon te glimlachen. 'Dan hebben jullie meteen met de buren kennisgemaakt,' voegde ze eraan toe.

Robbie had het wrikken aan het paneel opgegeven en klopte nu met een knokkel tegen weer een ander stuk hout dat tegen een zijmuur was bevestigd. Hij hield zijn hoofd schuin alsof hij antwoord op zijn klopsignaal verwachtte.

'Nee, egaal allemaal daarachter. Da's makkelijk stuken.' Een geruststellende conclusie, zoals Robbie er wel meer had getrokken, mede naar aanleiding van de informatie van de verkopende makelaar over de elektra – 'onlangs nog vernieuwd' –, de riolering – 'nog dit jaar geïnspecteerd en goedgekeurd' – en de waterleiding – 'alle leidingen van lood weggehaald en vernieuwd'.

'Een eitje,' zei Robbie, en hij hees goedgemutst zijn broek op.

Later die middag spreidde onze makelaar van achter zijn essenhouten werktafel zijn armen en zei: 'Een top! toplocatie, dubbele verdieping, achtertuin, kamer en suite, alle details aanwezig, inclusief drie marmeren schouwen, meer dan tweehonderd vierkante meter woonoppervlak, en Robbie die in drie maanden alles pico bello renoveert. Kortom, ik zei het al: een top, jongens! Ik doe een eerste bod, en we gaan ervoor. Wat jullie?'

Ja, wat wij? Van allerlei vrienden bij wie we informatie hadden ingewonnen, hadden we ontmoedigende dingen gehoord over de inderdaad 'rampzalige woningmarkt' – een markt waaraan we tot nu toe nooit één gedachte hadden besteed. Onze vrienden R. en L. die al twee jaar iets zochten. B. en K. met hun kinderen die al vijf keer op een woning hadden geboden – altijd te laat, ofwel 'weggeboden'. En nu wij. Het top. Geen enkele concurrentie vanwege de officieuze aanbieding.

'Komt-ie in het verkoopbestand, is-ie binnen anderhalf uur weg, en dan nog vijftien procent boven de vraagprijs, ik garandeer het je,' bezwoer Norm, waarna hij zijn armen weer spreidde en zei: 'Gaan we ervoor?'

We gingen ervoor.

Het was eigenlijk heel geil, een knoop doorhakken. Ja, we gingen ervoor. Drie maanden verbouwen zou het worden, had Robbie ingeschat. Maar we moesten verstandig zijn en een ruime marge nemen. Het kon altijd ietsje uitlopen. Dus reken maar op vier maanden.

We sloten de koop. Notaris, kopje koffie, handtekening, hypotheek, Bijlsma met een bloemetje, Norm met een kistje wijn.

Fijn, hoor. En geil. We neukten die maanden als otters, A. en ik. Niet dat we wisten hoe otters neukten. Maar het klonk goed. Net als 'huiseigenaars'. Dat waren we. Was zo geil. Anderen hadden sekstoys, video's of lingerie. Wij hadden ons eigen metrostation.

Op de tweede dag dat wij ons huiseigenaars konden noemen, trad Robbie Klein Hertog met vier man aan in onze benedenwoning. Vijf dagen hadden ze uitgetrokken voor het verwijderen van de houten platen. Op de derde dag sloeg Robbie alarm.

'Seg, kenne jullie effe komme kijke? Het sit toch allemaal wat anders in mekaar.' Dat was nog zeer zacht uitgedrukt. Om te beginnen zat de helft van alle houten platen nog muurvast aan wanden, plafonds en deuren. Maar achter de delen die wel waren verwijderd kwam een ravage aan oermuur, verwoest houtwerk en geradbraakte plafonds te voorschijn. De kamer en suite zag eruit alsof er een bombardement had plaatsgevonden. Delen van het plafond hingen met betengeling en al schuin naar beneden. Overal in de wanden zaten gaten zo groot als een vuist, en van het houtwerk van deur- en raamlijsten restte slechts een vermolmde materie die nauwelijks nog als hout herkenbaar was.

'Wat heb die Van Rhoon uitgespookt in dat huis, man?' stootte Robbie Klein Hertog uit, terwijl zijn timmerman naast hem stond met een bout ter grootte van zijn middelvinger. 'Dat zijn geen bouten meer, dat benne complete priemen!' 'Je krijgt ze er alleen uit door in het beton eromheen te boren,' vulde de timmerman aan.

'Maar die deuren dan?' vroeg A., 'er moeten toch ergens van die authentieke details zijn? Waar zijn de suitedeuren?'

'Hier,' zei Robbie, en hij wees naar twee groen uitgeslagen panelen die A. en ik in de ravage over het hoofd hadden gezien. Uit de stukken groen wrakhout was misschien ooit een tuinschuur opgetrokken – maar suitedeuren?

'En de schouwen?' vroeg A. met dunne stem.

'Ja,' begon Robbie, 'waar zoue die nou ook alweer gesete moete hebbe?'

'Nou, hier, dacht ik,' wees A. – en daarna stokte haar stem, want in het verre uiteinde van de achterkamer waar één van de drie schouwen zich had moeten bevinden was van achter de houten beplatingen een woestenij van afgehouwen rode baksteen te voorschijn gekomen, en aan de contouren van het steenwerk kon je zien dat er ooit niet al te zachtzinnig een schouw moest zijn weggebikt.

'Jezus, wat nu?' Dat was ik.

'Dat wou ik nou net aan jou vrage,' zei Robbie.

'Als al dat hout weg is, dan is het huis eigenlijk...' A. maakte haar zin niet af.

'Wat is het dan?' vroeg ik geagiteerd.

Robbie keek van zijn timmerman naar mij en weer terug. Niemand durfde het c-woord in de mond te nemen, en daarom zei A. het maar.

'Casco.'

'Jezus.' Dat was, wederom, ik.

'Ja, je vrouw heb wel gelijk. De enige manier om die rotzooi weg te krijge is strippe tot helemaal casco.'

'En dan?' vroeg ik, en ik sloeg er al geen acht meer op dat er een onnozele galm in mijn stem was geslopen.

'Dan hebben we er natuurlijk veel meer werk aan,' antwoordde Robbie.

'Zeker vier maanden,' vulde zijn timmerman aan.

'Minimaal,' zei Robbie.

'Aha,' zei ik, 'vier maanden minimaal.'

'Als het er niet vijf zijn,' zei Robbie toen. 'Want ja, we benne maar met z'n drieën, hè. We moete d'r eigenlijk twee man bij hebbe.'

Norm trok strijdvaardig een formulier uit zijn bovenste lade.

'Bijlsma gaat ervan lusten,' zei hij ferm. 'We beginnen met de dienst van toezicht. Maar eerst een oriënterend en confronterend gesprek ter plaatse, op hun kantoor. Dit kan absoluut niet.'

Maar het kon wél. De verkopende makelaar Bijlsma was onvermurwbaar. Schriftelijk liet hij weten dat verkopers nooit de aanwezigheid van origineel houtwerk en schouwen hadden gegarandeerd. Verkopers hadden zich slechts in de vorm van hypothetische beweringen uitgelaten. Verkopers hadden geheel voldaan aan meldingsplicht. Kopers waren daarentegen tekortgeschoten in hun onderzoeksplicht.

'Wat?' riep Norm uit. 'Dit kán dus niet. Ik lust Bijlsma rauw.'

Rauw bleven alleen de muren, plafonds en vloerdelen. Robbie Klein Hertog wilde best vier mannetjes extra aanstellen, maar 'ken dat allemaal wel qua koste?'

Nee, dat kon niet. Geen geld meer.

Robbie kwam met een oplossing.

'Als jullie nou zélf mee kome werke. Dat scheelt toch weer een hoop.'

'Ik kan me toch niet zomaar ziek melden?' vroeg A. aan niemand in het bijzonder. Eén blik op mij en ze zag: dat kan dus wél. Zelf had ik al besloten.

'Vind ik een goed idee, Robbie,' zei ik. 'Ik doe mee.'

En zo had ik vijf man in dienst terwijl ik tegelijkertijd uit noodzaak zou toetreden tot het gilde dat ik, zoals gezegd, altijd als de vijand had beschouwd: de bouwvakker.

Misschien was dit vijandbeeld wel geboren uit schaamte en minderwaardigheidsgevoelens. Want zoon en dochter Van Rhoon mochten de deplorabele staat van hun ouderlijk huis voor ons hebben verzwegen en ons hebben voorgelogen, ikzelf verzweeg nu datgene wat alleen A. wist maar dat zij, uit pure verbazing over mijn beslissing, niet uitsprak tegenover Robbie: ik kon nog geen spijker in de muur slaan.

Maar was zoiets nu van belang? Over drie maanden moesten we onze lieve, vertrouwde bovenwoning uit. Wij waren eigenaar van een woestenij, met als enige authentieke details de verweerde muizenlijkjes die van achter de houten beplatingen te voorschijn waren gekomen.

We hadden geen keus. Aan het werk!

VERANTWOORDING

Gerard Reve
'De wijze kater. Raadgevingen aan Renate R.' (*Playboy* januari 1984)
Eveneens verschenen in: *Schoon schip 1945-1984*. Manteau, Amsterdam 1984.

Hugo Claus
'De staat van liefde' (december 1986)
Eveneens verschenen in: *Verhalen*. De Bezige Bij, Amsterdam 1999.

Mensje van Keulen
'De dwerg' (mei 1988)
Oorspronkelijk in 1977 onder de titel *Trucjes* en onder het pseudoniem Constant P. Cavalry verschenen als deel 4 van het Erotisch Panopticum van Eliance Pers. Later ook opgenomen in: J. Voerman (samenst.). *Opwindende trucjes. De mooiste erotische verhalen*. Novella, Amersfoort 1988.

Leon de Winter
'Swing Bob!' (september 1988)
Eveneens verschenen in: *Een Abessijnse woestijnkat*. In de Knipscheer, Amsterdam 1991.

Remco Campert
'De ochtend dat het niet op kon' (december 1988)
Eveneens verschenen in: *Campert Compleet Vervolg. Verhalen 1971-1991*. De Bezige Bij, Amsterdam 1991.

Hermine de Graaf
'De sleutels' (januari 1989)
Niet elders verschenen

Johnny van Doorn
'Laatste schoolreis' (oktober 1990)
Eveneens verschenen in: *De lieve vrede. Legendarische momenten 1944-90*. De Bezige Bij, Amsterdam 1990.

Kristien Hemmerechts
'IJskoud' (december 1995)
Onder de titel 'IJs' eveneens verschenen in: *Kort kort lang*. Atlas, Amsterdam/Antwerpen 1996.

Arnon Grunberg
'Een medisch wonder' (mei 1998)
Niet elders verschenen

Jean-Paul Franssens
'De twee wezen' (juli 1998)
Niet elders verschenen

Helga Ruebsamen
'The King of Indoor Sports' (januari 1999)
Niet elders verschenen

Jessica Durlacher
'Illie, Billie en Belle' (januari 1999)
Niet elders verschenen

Monika Sauwer
'Een mooie dag in september' (januari 1999)
Niet elders verschenen

Hermine Landvreugd
'Wat kijk je zorgelijk, schatje' (februari 1999)
Ook verschenen in: *Kont achteruit. Hoerig.* De Bezige Bij, Amsterdam 1999.

Oscar van den Boogaard
'Het zwevende doosje' (juli 2000)
Niet elders verschenen

Karel Glastra van Loon
'De minister van Defensie is een schat' (oktober 2000)
Onderdeel van de niet elders gepubliceerde verhalencyclus *Het lijk in de Hofvijver. Scabreuze vertellingen uit politiek Den Haag.*

Manon Uphoff
'Thomas' (januari 2001)
Niet elders verschenen

Herman Brusselmans
'Zoals Confucius zei' (februari 2002)
Niet elders verschenen

Thomas Rosenboom
'Stella van de administratie' (juli 2002)
Niet eerder in boekvorm verschenen

Joost Zwagerman
'Droomspelonk' (november 2002)
Niet elders verschenen